Le SCRAPBOOK

DE JUSTINE PERRON

Catalogage avant publication de Bibliothèque et Archives nationales du Québec et Bibliothèque et Archives Canada

Larouche, Valérie
Le scrapbook de Justine Perron
Sommaire : t. 2. Quand la vie te donne des citrons...
Pour les jeunes.
ISBN 978-2-89585-419-7 (vol. 2)
I. Larouche, Valérie. Quand la vie te donne des citrons... II. Titre.
III. Titre : Quand la vie te donne des citrons...
PS8623.A764S37 2013 jC843'.6 C2013-940886-X
PS9623.A764S37 2013

Infographie : Ateliers Prêt-presse

Les Éditeurs réunis bénéficient du soutien financier de la SODEC et du Programme de crédits d'impôt du gouvernement du Québec.

Nous remercions le Conseil des Arts du Canada de l'aide accordée à notre programme de publication.

Nous reconnaissons l'aide financière du gouvernement du Canada par l'entremise du Fonds du livre du Canada pour nos activités d'édition.

Édition :
LES ÉDITEURS RÉUNIS
www.lesediteursreunis.com

Distribution au Canada :
PROLOGUE
www.prologue.ca

Distribution en Europe :
DNM
www.librairieduquebec.fr

Suivez Valérie Larouche et Les Éditeurs réunis sur Facebook.

Imprimé au Canada

Dépôt légal : 2014
Bibliothèque et Archives nationales du Québec
Bibliothèque nationale du Canada

VALÉRIE LAROUCHE

Le SCRAPBOOK DE JUSTINE PERRON

Quand la vie te donne des citrons...

LES ÉDITEURS RÉUNIS

Nouveau *scrapbook*, nouvelle année, même combat contre l'Univers.

Un adage en anglais dit: « *When life gives you lemons, make lemonade* ». Traduction: « Quand la vie te donne des citrons, fais-en de la limonade (ou de la citronnade) ». Mais on fait quoi quand on n'aime pas la limonade ou qu'on n'a plus de sucre à mettre dedans?!

Mouais... Mes parents nous ont offert un cadeau surprise, à Guillaume et à moi, pour la nouvelle année...

J'aurais honnêtement pu m'en passer!

Dans l'astrologie chinoise, c'est officiellement l'année du Serpent.
Non officiellement, c'est clairement l'année du Serpent venimeux!

Mais reprenons du début.

La période des Fêtes s'achève. Nous recommencerons les cours lundi prochain (c'est jeudi aujourd'hui), et j'avoue que j'ai presque hâte de retourner à l'école. Sauf que, pour une fois, mon empressement à m'évader du foyer familial n'a rien à voir avec le fait que mon frère me tape sur les nerfs (j'arrive désormais à le supporter si je mets en perspective d'autres désagréments).

Albert Einstein disait : « Placez votre main sur un poêle une minute et ça vous semble durer une heure. Asseyez-vous auprès d'une jolie fille une heure et ça vous semble durer une minute. C'est ça, la relativité. » En gros, ça veut dire que ce qui est agréable semble ne pas durer assez longtemps.

Jusqu'à hier soir, tout allait bien. Mon père était rentré beaucoup plus tôt que prévu de son travail et nous étions tous contents de souper en famille. Enfin, je dis « nous »... mais maintenant que j'y pense, je semblais être la seule de bonne humeur (Ana était revenue du Sud la veille et nous venions de passer la journée à nous raconter nos vacances d'hiver). Une belle journée... jusqu'après le repas...

Mon père et ma mère ont fait la vaisselle ensemble (ce qui n'arrive JAMAIS) et je pouvais les entendre discuter à voix basse.

Mon frère avait déjà regagné sa chambre, alors il n'a pas été témoin de l'étrangeté de la scène. Moi, je lisais dans le salon (ça aussi, c'était bizarre, parce que je préfère normalement lire dans ma chambre. Je ne sais pas ce qu'il y avait dans l'air, mais rien n'était comme d'habitude. Peut-être un effet de la pleine lune?...) Bref, j'ai entendu mes parents chuchoter, sauf que, même si je ne pouvais pas saisir leurs paroles exactes, j'en captais assez pour savoir qu'ils n'échangeaient pas des propos amicaux... Ils ne se chicanaient pas vraiment non plus: ils s'obstinaient.

Peu après, ils sont passés au salon et m'ont demandé s'ils pouvaient me parler. J'ai déposé mon livre et ils ont appelé mon frère, qui a pris cinq bonnes grosses minutes avant de mettre son jeu sur pause et descendre l'escalier en ronchonnant.

Ensuite, nous avons tous pris place sur le canapé, et j'ai compris, rien qu'à voir l'air sérieux de mes parents, qu'ils s'apprêtaient à nous annoncer une nouvelle très grave.

J'avais vu juste...

Mes parents ont décidé de divorcer.

C'EST GRAVE, DOCTEUR ?
TRÈS... VOTRE RELATION AMOUREUSE EST EN PHASE TERMINALE !
...ET IL N'Y A PAS DE REMÈDE POUR ÇA !

Guillaume et moi avons reçu la nouvelle de plein fouet. Comme une claque au visage! PAF!

Rien – absolument rien! – ne laissait présager un tel évènement. Mes parents ne sont pas du genre à se disputer. Ils discutent beaucoup et souvent (quand mon père est présent, évidemment); ils sont vraiment un modèle de relation saine pour moi! Enfin, ils l'*étaient*...

L'annonce de leur séparation m'a assommée. J'ai beaucoup de mal à me souvenir du reste de la conversation; c'est comme flou, rempli de trous noirs. Je sais que mes parents ont continué à parler pendant une bonne heure (les connaissant, ils ont probablement tenté de nous faire comprendre leur décision), mais je ne parviens pas à me remémorer une seule de leurs paroles précises.

Lorsqu'ils se sont enfin tus, je suis montée à ma chambre, comme dans un rêve, et me suis assise sur mon lit, incapable de réagir. Une boule avait pris naissance dans mon estomac et s'était propagée dans l'entièreté de mon corps. J'étais alourdie, engourdie, étriquée dans ma propre peau. Même respirer semblait difficile...

J'étais partagée entre l'envie de hurler et celle de m'effondrer en larmes. Les deux options s'opposaient si fortement qu'elles se contrebalançaient, comme. Et elles me maintenaient en parfait équilibre, incapable de pencher d'un côté ou de l'autre.

Toujours secouée, j'ai appelé Ana (qui d'autre?)

Elle a fait du mieux qu'elle pouvait pour me réconforter, mais vu que le choc était tout aussi grand pour elle que pour moi, et puisqu'elle n'a jamais eu à surmonter une telle épreuve, elle avait de la difficulté à trouver les mots justes. Elle ne cessait de répéter: «En es-tu certaine? Ils ont vraiment dit ça? C'est définitif, à ton avis?» Autant de questions que j'aurais aimé avoir le courage de poser moi-même à mes parents...

Je comprends à présent pourquoi le père Noël avait mis des mouchoirs dans mon bas de Noël...
Mais il aurait dû être plus clairvoyant et en mettre plus qu'un paquet!

Après notre conversation, je me suis simplement dévêtue avant de me glisser entre mes draps sans même prendre une douche. Je n'ai pas non plus débarrassé mon édredon recouvert de mouchoirs froissés tant la fatigue et la lassitude que je ressentais étaient intenses.

Ce matin, quand je me suis éveillée, j'avais les yeux tout bouffis et un peu douloureux. Ma taie d'oreiller grise était couverte de marques mouillées et de traînées de mascara (j'avais pris comme résolution de me maquiller légèrement pendant les vacances. Bravo pour le *timing*, Justine...)

La plupart des mouchoirs abandonnés sur mon lit la veille tapissaient maintenant le plancher de bois franc. Mon soutien-gorge, mes jeans et mes bas gisaient également sur le sol. Ça m'a pris seulement quelques secondes avant de me rappeler pourquoi j'avais dormi en t-shirt et je me sentais à présent abattue et triste. Et, contrairement à ce que prétend le vieil adage, la nuit n'avait rien arrangé et n'avait pas du tout porté conseil; mes parents allaient inévitablement divorcer.

Mon monde venait de s'écrouler.

Je me suis lentement tournée sur le côté pour apercevoir un rayon de soleil à travers mes stores vénitiens, mais apparemment, le

MÉTÉO

Sainte-Marie-Anne-des-Anges et les environs

AUJOURD'HUI Passages nuageux. Vents légers. Probabilité de précipitations: 20 %. MAXIMUM -18

DEMAIN Probabilité de précipitations: 90 %. MAX -16

CETTE NUIT Ciel variable en soirée, plutôt nuageux au cours de la nuit. Vents légers. Probabilité de précipitations: 30 %. MINIMUM -19

LUNDI Probabilité de précipitations: 90 %. MAX -18

Des fois, je rêve de vivre en Floride, en Californie ou au bord de la Méditerranée.

Un jour, peut-être...

réchauffement climatique n'a pas encore d'incidence sur la grisaille du mois de janvier...

J'ai boudé la fenêtre et me suis retournée vers le mur de ma chambre pour contempler, les yeux vides, le *poster* de Chris Hemsworth (que j'ai finalement choisi de réafficher). Mon regard a ensuite dérivé vers la porte pendant que les beaux yeux bleus de Chris me dévisageaient sans se lasser.

Mille questions me traversaient l'esprit: Qu'est-ce que je trouverais de l'autre côté? Mon père avait-il commencé à rassembler ses affaires? Ou, au contraire, était-ce ma mère qui partait? (Comme je n'avais pas trop porté attention lors du largage de la bombe, il me manquait des éléments à mettre en place dans mon scénario imaginaire.) Mon frère se trouvait-il dans le même état que moi? (J'en doutais fort, mais on ne sait jamais!)

Questionnements et mystères!

J'aurais volontiers passé la journée dans ma chambre, sans parler à quiconque ni voir personne, mais une vérité indéniable venait de m'attaquer de front : je devais sortir de ma tanière pour aller au petit coin...

En soupirant, j'ai repoussé mes couvertures chaudes et j'ai affronté l'air glacial du matin (ma mère maintient les thermostats à vingt degrés pour sauver un peu sur le compte d'électricité... Pourquoi cette température semble-t-elle tiède et agréable en avril alors que, en janvier, elle est frigorifiante?! Le fait que j'étais nu-pieds et vêtue uniquement d'un t-shirt et d'une culotte y était sans doute pour quelque chose...) J'ai rapidement enfilé un pantalon molletonné avant de glisser mes pieds dans mes pantoufles et de m'approcher de ma porte de chambre.

Température idéale = celle de la Floride... Enfin, je crois.
20 °C = trop frette!

Aucune lumière artificielle ne filtrait en dessous et aucun bruit ne provenait de l'autre côté. Tout le monde dormait peut-être encore...

Un coup d'œil à mon réveil matin: 8 h 23. Il y avait des chances que je ne croise personne... J'ai ouvert la porte et j'ai pu confirmer que le reste de la maisonnée sommeillait encore. Fiou! J'ai donc filé sur la pointe des pieds vers la salle de bain.

Puisqu'un malheur n'arrive jamais seul, j'ai eu le bonheur de constater, en me regardant dans le miroir, que, non seulement mon mascara avait coulé, mais que j'avais aussi hérité d'un magnifique bouton rouge sur le menton. Une immense proéminence luisante qui illustrait à merveille comment je me sentais ce matin-là: dégueu. J'ai rapidement fait un calcul mental pour voir combien de jours il restait avant le retour en classe et si je pouvais espérer m'en débarrasser en seulement trois jours.

Ça va prendre pas mal de fond de teint pour camoufler ÇA! :(

Après un long congé, on veut retrouver nos amis pour qu'ils nous complimentent sur notre super belle coupe de cheveux ou notre teint bronzé resplendissant, et non pas qu'ils détournent la tête avec gêne pour éviter de fixer nos pustules!! (Mon amie Cassandra, qui est dans mon cours de français, avait eu la permission de rester une semaine à la maison lorsqu'elle s'était fendu la lèvre lors d'une pratique de patin. Pas de chance que ma mère aurait accepté que je me terre ici jusqu'à ce que le bouton soit disparu, par contre...)

J'allais quitter la salle de bain, encore plus morose qu'en y entrant, lorsqu'un détail a attiré mon attention. Un tout petit détail de rien, vraiment mineur... Un minuscule quelque chose qui aurait dû se trouver là mais qui avait disparu: la brosse à dents de mon père.

Sans prévenir, j'ai explosé en sanglots hyper bruyants, comme un bébé. (Mouais... Pathétique, hein?) Eh bien, ça n'a pas pris deux secondes que ma mère forçait la porte de la salle de bain (que j'avais verrouillée, je tiens à le préciser!) et me serrait dans ses bras.

— Pupuce, qu'est-ce qu'il y a? Ça sort finalement, c'est ça?

Elle faisait sans doute référence à ma douleur-colère-peine-incompréhension-révolte, ET NON À CE SATANÉ BOUTON D'ACNÉ...

J'ai juste hoché la tête.

Elle m'a serrée plus fort et m'a bercée un moment, debout à côté de la douche. Je me suis calmée après quelques minutes, mais pas parce que ma mère m'apaisait, non.

Simplement parce qu'un évènement complètement invraisemblable venait de se produire: mon frère nous avait entendues et avait rappliqué. Et maintenant, il pleurait dans nos bras, lui aussi...

J'étais tellement chamboulée de le voir comme ça, si fragile, que je me suis soudainement transformée en grande sœur. J'ai arrêté de pleurer d'un coup sec, paf! Comme si quelque chose dans ma tête (finalement, je possèderais un *alien* moi aussi?!) venait de me dire: «Hé! Réveille, la grande, prends sur toi! Ton petit frère a besoin de toi.» J'ai entendu ma mère sangloter aussi, mais comme elle souhaitait sans doute paraître forte pour ses enfants, j'ai fait semblant de ne m'apercevoir de rien. Je l'ai juste serrée plus fort contre moi.

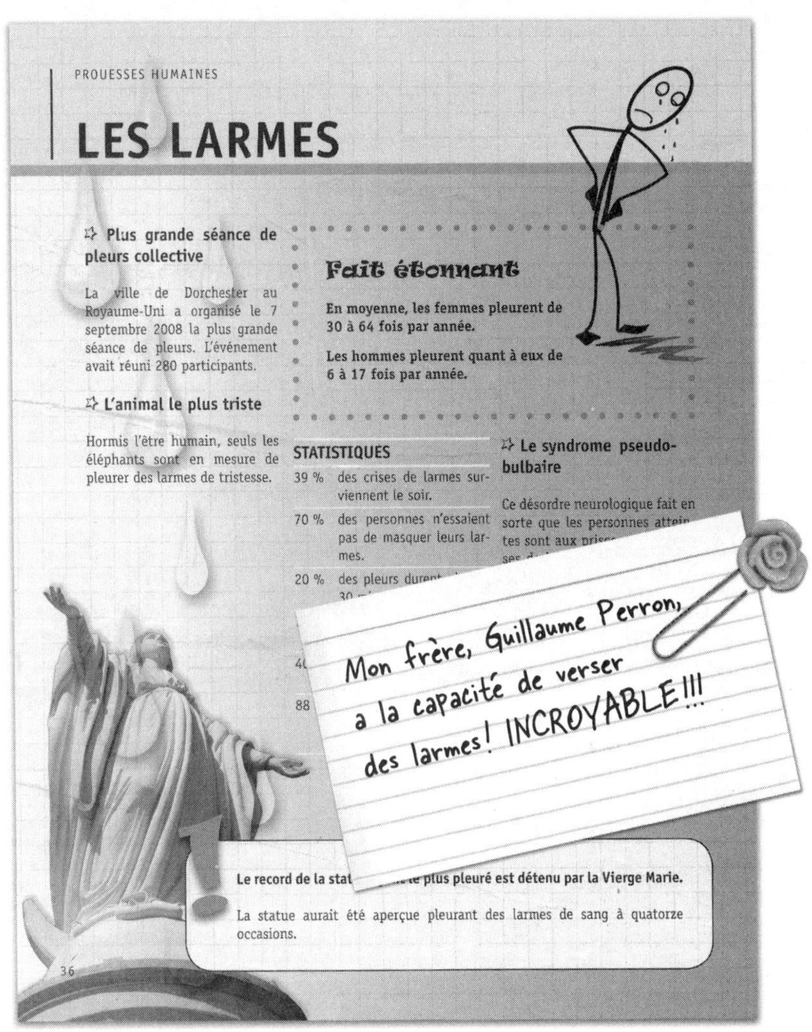

PROUESSES HUMAINES
LES LARMES
Plus grande séance de pleurs collective
La ville de Dorchester au Royaume-Uni a organisé le 7 septembre 2008 la plus grande séance de pleurs. L'événement avait réuni 280 participants.
L'animal le plus triste
Hormis l'être humain, seuls les éléphants sont en mesure de pleurer des larmes de tristesse.
Fait étonnant
En moyenne, les femmes pleurent de 30 à 64 fois par année.
Les hommes pleurent quant à eux de 6 à 17 fois par année.
STATISTIQUES
39 % des crises de larmes surviennent le soir.
70 % des personnes n'essaient pas de masquer leurs larmes.
Le syndrome pseudo-bulbaire
Mon frère, Guillaume Perron, a la capacité de verser des larmes! INCROYABLE!!!
La statue aurait été aperçue pleurant des larmes de sang à quatorze occasions.
36

Après un moment très « solidificateur » de nos liens familiaux, ma mère a discrètement essuyé ses larmes, reniflé un peu et nous a demandé si nous voulions des crêpes pour déjeuner. Je ne connais personne au monde qui refuserait des crêpes (surtout celles de ma mère, qui sont hyper onctueuses et légères), même en plein cataclysme!

Guillaume a hoché la tête. J'ai offert mon aide pour préparer la pâte, mais ma mère a refusé. Je crois qu'elle avait surtout besoin d'être seule...

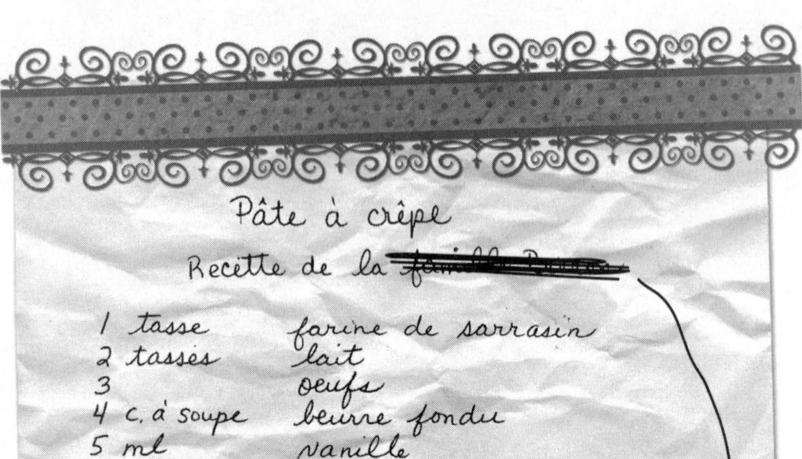

Pâte à crêpe

Recette de la

1 tasse	farine de sarrasin
2 tasses	lait
3	oeufs
4 c. à soupe	beurre fondu
5 ml	vanille

Dans un grand bol, verser les oeufs battus sur la farine et mélanger avec une cuillère en bois. Ajouter ensuite le lait en brassant avec un fouet. Incorporer le beurre fondu et la vanille.

Faire cuire dans une poêle antiadhésive très chaude.

Euh... maintenant que mes parents vont divorcer, on devrait les appeler « crêpes à la Dupré », hein?

Après le départ de ma mère, Guillaume a levé la tête vers moi (enfin, il a deux pouces de moins que moi, alors ça ne fait pas bien loin à lever, mais quand même! J'ai deux pouces de plus et j'y tiens!), m'a regardée dans les yeux et m'a demandé pourquoi j'avais éclaté en sanglots. Ça m'a fait bizarre de voir mon frère s'intéresser à moi de la sorte (ou d'entendre sa voix émettre autre chose que des railleries et des grognements), alors j'ai mis quelques secondes avant de répondre et d'avouer:

— La brosse à dents de papa a disparu.

— Oh! T'es pas très observatrice. Ça fait un mois qu'elle n'est plus là!

— Hein? Comment ça?

— Ben, il m'avait dit qu'il la traînait avec lui parce qu'il trouvait ça plus pratique, sauf qu'astheure qu'on sait ce qu'on sait...

— Mouais...

Silence inconfortable. Puis:

— Penses-tu qu'il a une blonde?

— Euh...

Qui es-tu et qu'as-tu fait de mon petit frère?!

WTF?!?! Qu'est-ce qu'on peut bien répondre à ça?!!!

La question de Guillaume m'a fait l'effet d'un choc électrique. Papa? Une blonde? Une maîtresse, là? Comme dans les histoires où le gars est un écœurant? Voyons donc! Guillaume pensait-il vraiment tout ce qu'il disait? Avait-il réellement passé sa soirée et sa nuit à s'interroger sur des choses pareilles?!

Voyant que je ne savais pas trop quoi dire, il a haussé les épaules.

— Au moins, on aura deux fois plus de cadeaux, maintenant, a-t-il ajouté en s'essuyant le nez sur sa manche de pyjama avant de quitter la salle de bain.

Ouf!

Ah! VOILÀ le Guillaume que je connais...

Je suis retournée dans ma chambre. J'ai ouvert les stores pour contempler cette journée grise, remplie de nuages lourds nous menaçant d'une autre bonne bordée de neige qui, finalement, ne viendrait pas. J'ai ramassé les trois douzaines de mouchoirs qui traînaient un peu partout et les ai jetés à la poubelle (sauf un que j'ai collé ici. Heureusement, il avait eu le temps de sécher! Sinon, beurk!) Du couloir m'est parvenu un bruit de déflagrations (mot compte triple!) de revolver et de hurlements de zombies agonisants: mon frère avait repris son jeu. Pour passer le temps en attendant le déjeuner (je pouvais sentir l'odeur des crêpes qui cuisaient), j'ai sorti mes trucs de *scrapbooking* et j'ai commencé un montage thématique plutôt déprimant.

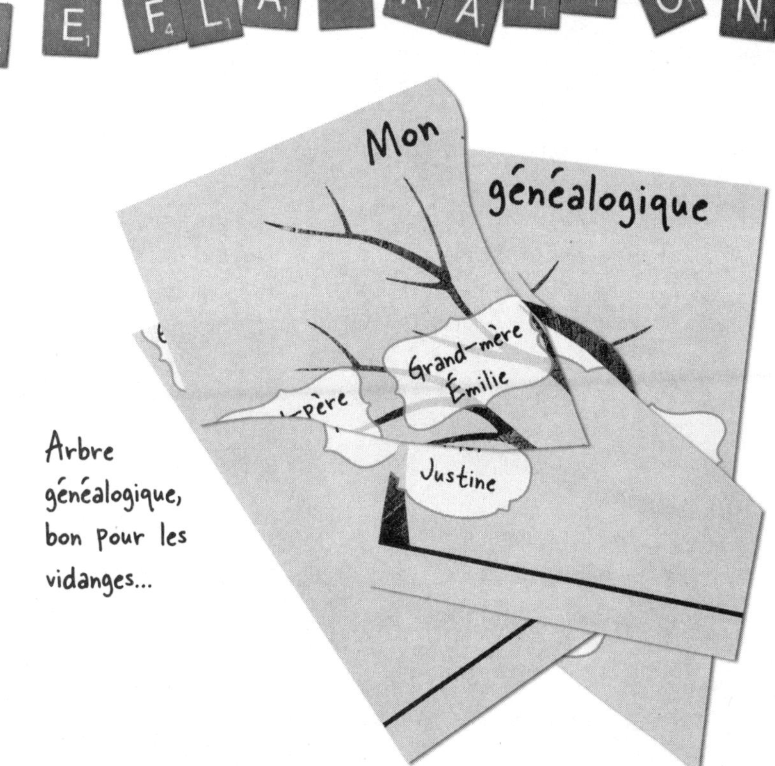

Arbre généalogique, bon pour les vidanges...

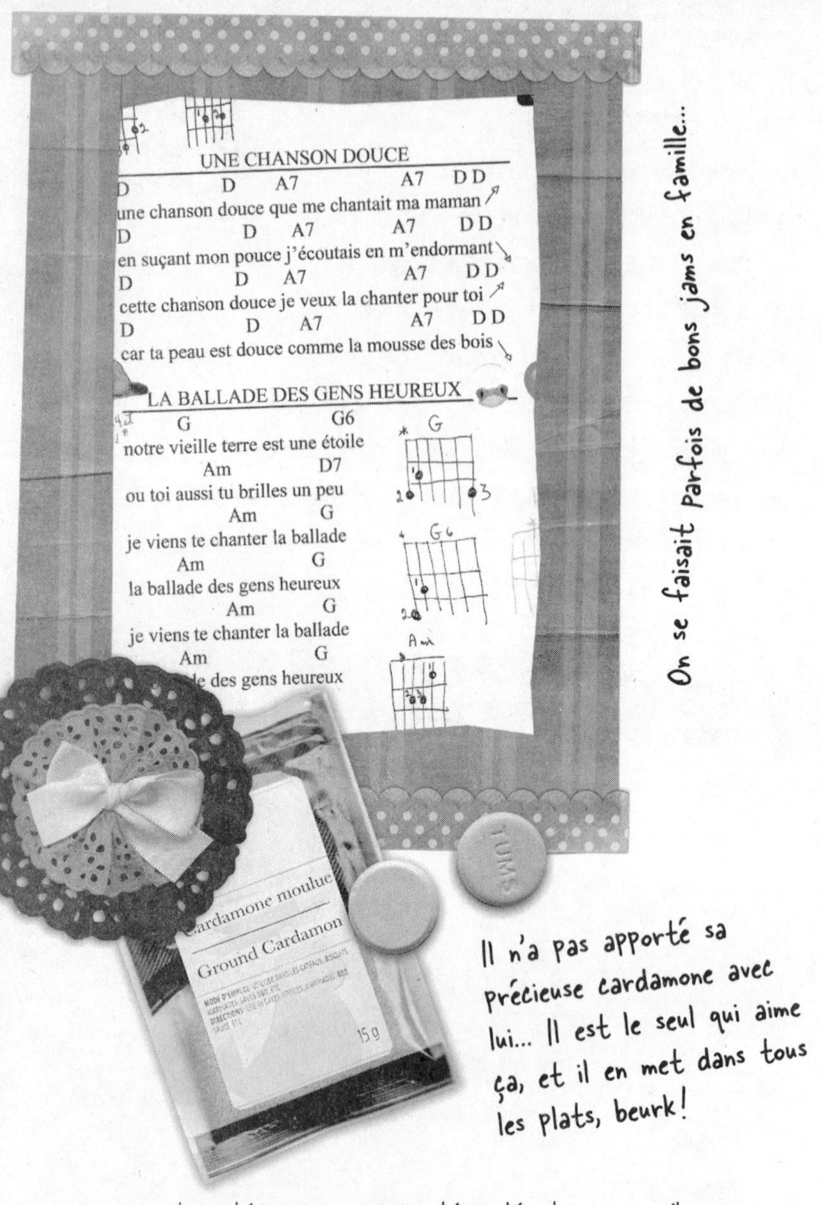
UNE CHANSON DOUCE

D D A7 A7 D D
une chanson douce que me chantait ma maman ↗
D D A7 A7 D D
en suçant mon pouce j'écoutais en m'endormant ↘
D D A7 A7 D D
cette chanson douce je veux la chanter pour toi ↗
D D A7 A7 D D
car ta peau est douce comme la mousse des bois ↘

LA BALLADE DES GENS HEUREUX

G G6
notre vieille terre est une étoile
Am D7
ou toi aussi tu brilles un peu
Am G
je viens te chanter la ballade
Am G
la ballade des gens heureux
Am G
je viens te chanter la ballade
Am G
...de des gens heureux

On se faisait parfois de bons jams en famille...
Cardamone moulue
Ground Cardamon
15 g
TUMS
Il n'a pas apporté sa précieuse cardamone avec lui... Il est le seul qui aime ça, et il en met dans tous les plats, beurk!

Le déjeuner s'est déroulé dans un silence plutôt inconfortable, seulement entrecoupé par les bruits de bouche envahissants de mon frère dégustant son assiettée (c'est-à-dire une crêpe nageant littéralement dans le sirop d'érable).

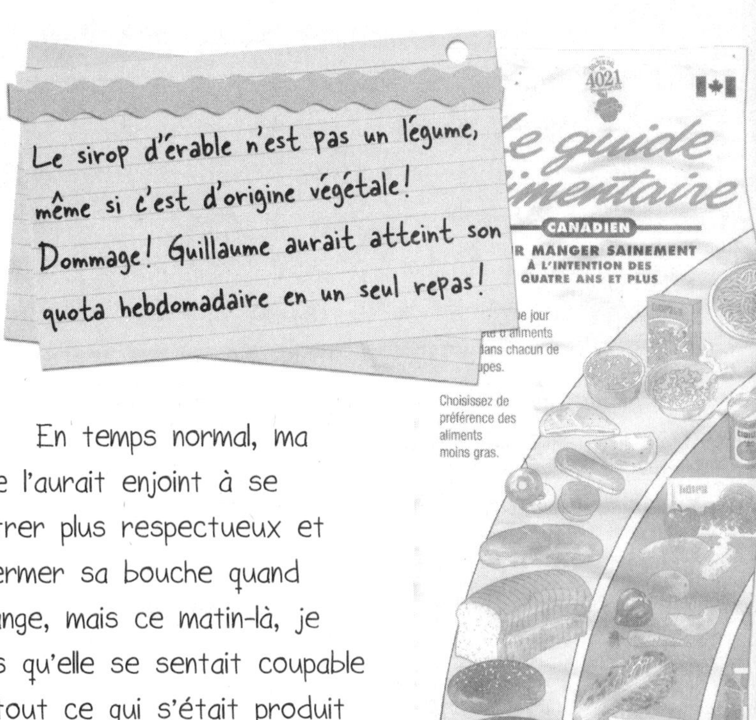

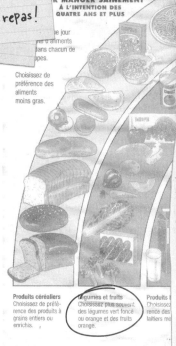

En temps normal, ma mère l'aurait enjoint à se montrer plus respectueux et à fermer sa bouche quand il mange, mais ce matin-là, je crois qu'elle se sentait coupable de tout ce qui s'était produit depuis la veille. Je la devinais capable d'accéder à toutes nos requêtes, mais je n'avais pas le cœur d'en profiter; elle paraissait triste en nous regardant et mangeait à peine.

Le reste de la journée s'est déroulé de manière plus ou moins bizarre. «Plus» parce qu'il régnait une drôle d'ambiance à la maison (personne ne parlait, on s'évitait presque). «Moins» parce que, comme d'habitude, papa n'était pas là; Guillaume jouait à ses jeux idiots; maman peignait; et moi, j'écrivais dans mon *scrapbook*.

Vers 13 h, incapable de supporter davantage cette atmosphère morose, je me suis enfuie à la bien-nommée librairie L'Évasion (j'avais plutôt envie d'inscrire «évadée à L'Évasion», mais je trouvais que c'était vraiment trop «cucul» comme jeu de mots...) Ça faisait maintenant presque une semaine que je n'y avais pas mis les pieds, et monsieur Dumas ne m'avait même pas téléphoné pour me demander de faire de l'ordre dans la vitrine ou de regarnir mon coin près de la caisse. Étrange... J'ai donc bravé le froid de janvier et je suis allée au travail.

Une fois sur les lieux, j'ai été très surprise de découvrir la librairie fermée. Monsieur Dumas était-il en vacances? Si oui, il l'aurait affiché sur la porte, non? Sans compter qu'il ne m'a rien dit et qu'il ne fait jamais de voyage, donc ça ne pouvait pas être ça.

Je suis retournée chez moi et j'ai essayé de joindre monsieur Dumas au téléphone. Évidemment, personne ne décrochait à la librairie et mes essais pour l'attraper sur son téléphone portable se sont avérés tout aussi infructueux: un message d'absence, classique et froid, récité par une machine – nous informant de l'impossibilité de joindre l'abonné cellulaire demandé – s'enclenchait avant même la première sonnerie et nous raccrochait la ligne au nez un instant plus tard. Monsieur Dumas n'étant pas du genre hyper techno, son modèle de cellulaire est tellement vieux qu'il ne possède pas de boîte vocale. (De toute façon, même si j'avais pu laisser un message sur sa boîte vocale, mon patron n'aurait sans doute pas su comment prendre ledit message, alors...) Ai-je raison de m'inquiéter?

Librairie L'Évasion http://www.levasion.qc.ca

La librairie agréée où il n'y a que des livres.

LIBRAIRIE L'ÉVASION

Accueil

Collectivités

Commandes spéciales

Gilbert Dumas, propriét...

Pour nous joindre :

Librairie L'Évasion

103, rue Principale • Sainte-Marie-Anne-des-Anges (Québec) G9X 3S6

Tél. : 819.555.1900 Téléc. : 819.555.1901

Courriel : gilbertdumas@levasion.qc.ca

Québec

1 sur 1

Le site Web de la librairie est vraiment moche, mais pour monsieur Dumas, c'était toute une aventure que de se créer une page sur Internet!

Il refuse catégoriquement d'y changer quoi que ce soit. Il faut l'entendre s'opposer avec colère à quiconque lui parle de faire de la « vente de livres en ligne »!

MESSAGES COMPLIQUÉS DE L'univers

À mon retour de la librairie, j'ai appelé Ana à ma rescousse, et elle a accouru pour passer du temps en ma compagnie et pour tenter de me réanimer… Elle avait apporté avec elle un jeu de tarots de Marseille qu'elle avait reçu à Noël dans un échange de cadeaux. En lui offrant, la personne qui l'avait pigée lui a révélé: «On ne sait jamais quoi acheter à une ado… Alors j'ai pensé que, puisque tu aimes les trucs médiévaux, tu aimerais forcément ce jeu!» Une chance que je n'étais pas à ce *party*, car je n'aurais pu m'empêcher de rectifier le tir auprès de cette «matante»:

1) Ana n'aime pas les «trucs médiévaux», elle se passionne notamment pour la mythologie antique, dans le sens de «période de l'Antiquité», c'est-à-dire au moins dix siècles avant le Moyen Âge.

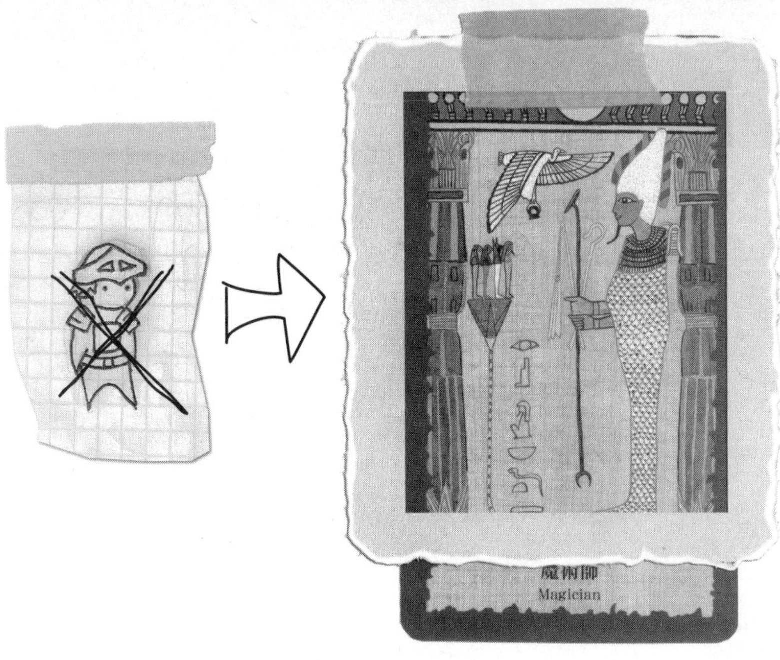

2) Pourquoi serait-ce plus difficile de trouver un cadeau pour une ado que pour une tante ou un oncle? Si un adulte a besoin de quelque chose, il peut forcément se l'acheter. Donc, tout ce qu'on pourrait lui offrir serait de l'ordre du superflu. Quant à nous, les ados, on doit toujours attendre une fête ou une occasion spéciale pour obtenir un livre ou un morceau de linge convoité. Autant dire qu'on n'a rien et qu'on peut TOUT nous offrir!

3) Quand on ne sait pas quoi donner, on peut toujours se rabattre sur un chèque-cadeau!

Pendant que je partageais ma montée de lait face aux adultes qui ne comprennent jamais rien, Ana développait le jeu. On s'est ensuite accroupies par terre, au-dessus des cartes étalées, afin d'étudier la signification de chacune à l'aide du livret.

— Il me semble que c'est un super bon jeu pour commencer l'année du bon pied, tu ne trouves pas? s'est réjouie malgré elle ma *best*, intriguée par son destin.

— Mouais, l'ai-je encouragée. Voyons voir un peu ce que l'Univers nous réserve cette année!

J'ai ponctué la fin de ma phrase d'un rire démoniaque ce qui a fait rigoler Ana.

— Alors, c'est ton jeu, donc c'est toi qui commences en premier! lui ai-je lancé.

— Non, non, c'est ta vie qui est toute chamboulée et sens dessus dessous en ce moment! C'est toi qui as besoin des lumières de ce jeu, a-t-elle insisté. Vas-y, pose une question à l'Univers!

Puis, les yeux pétillants, Ana a soigneusement étalé les cartes, comme le guide d'utilisation le suggérait, et s'est mise à piger trois cartes censées me révéler mon destin. Elle a retourné rapidement les cartes du Bateleur, du Mat... puis de la Mort!

— Ark! Voyons donc! C'est *full* déprimant, cette affaire-là! me suis-je exclamée.

— Ish... Ouin, t'as raison. Mais attends!

Ana s'est aussitôt mise à farfouiller dans le carnet explicatif. Pendant ce temps, je ruminais des pensées sombres. Mes parents avaient décidé de divorcer, et voilà qu'en plus ce jeu de tarots taré m'annonçait la mort d'un proche. À moins qu'il était question de la mort de ma famille? Après quelques minutes de lecture minutieuse, Ana s'est alors écriée:

— C'est marqué ici que l'Arcane 13 sans nom, ou Arcane de la Mort, ne signifie pas du tout la mort de quelqu'un! Est-ce qu'on l'a pigée à l'endroit ou à l'envers?

— À l'endroit, ai-je répondu. Pourquoi? Ça change quelque chose?

Elle a poursuivi sa lecture un peu avant de m'expliquer:

— Oui. À l'endroit, ça dit qu'on doit plutôt interpréter cette carte comme un symbole de rupture positive, de grands changements et de renouveau.

— Rupture positive, pas si sûre de ça, moi! ai-je rouspété.

— Ça n'a peut-être rien à voir avec le divorce de tes parents... Peut-être est-ce en lien avec le fait que tu aies rompu avec Raphaël?

— Peut-être... Mais c'est de la vieille histoire, ça! Les cartes ne sont pas censées révéler mon avenir?

Ana a haussé les épaules.

— Ça dit que les cartes peuvent te dire plein de choses sur toi, pas juste ton avenir, apparemment.

— Bon... Et les autres, là, elles signifient quoi au juste?

Ce jeu ne m'inspire pas confiance!
I
LE·BATELEUR
LE·MAT

— D'après ce que j'ai vu, le Bateleur indique le début d'une relation ou le début d'un travail, et le Mat, l'incertitude.

— Finalement, ça ne m'aide pas du tout de savoir ça! me suis-je lamentée.

— Ne te fais pas de mauvais sang, ce n'est qu'un jeu! s'est empressée de me réconforter ma *best*. Allez, oublions ça et allons regarder un film!

J'ai observé mon amie avec des yeux de chien piteux et je l'ai suivie en silence jusqu'au sous-sol, où on a passé le reste de l'après-midi à regarder de vieux films réconfortants qu'on connaissait par cœur.

Ana est partie avant le souper, mais je n'avais pas tellement faim, alors je suis restée dans ma chambre pour écrire plutôt qu'affronter la table familiale vide (ben, mon frère et ma mère y sont, mais le silence y est trop... oppressant).

Bon, mon père vient d'arriver. Mes parents veulent sans doute nous parler davantage, à Guillaume et à moi...

soupir Courage, Justine!

DÉPART ET ARRIVÉE

Lorsque mon père est arrivé ce soir, on nous a appelés au salon. Le choc de la révélation passé (ou presque), mes parents nous ont demandé ce que nous pensions du divorce annoncé. De mémoire de Justine, c'était bien la première fois que mes parents sollicitaient mon avis sur une décision qu'ils avaient DÉJÀ prise (donc à quoi sert mon opinion?) !

Je le leur ai quand même donné.

Camille

~~Fine cuisine acadienne~~

122, route de l'Église
Sainte-Ernestine, QC
www.restobarcamille.qc.ca

Votre satisfaction est notre priorité !

Appréciation de la nouvelle ~~Comment avez-vous apprécié l'accueil ?~~

Beaucoup — Moyennement — Très peu

☐ 10 ☐ 9 ☐ 8 ☐ 7 ☐ 6 ☐ 5 ☐ 4 ☐ 3 ☐ 2 ☒ 1

Habileté du parent à la livrer ~~Comment avez-vous apprécié le service ?~~

Beaucoup — Moyennement — Très peu

☐ 10 ☐ 9 ☐ 8 ☐ 7 ☐ 6 ☐ 5 ✕ ☐ 4 ☐ 3 ☐ 2 ☐ 1

~~Comment avez-vous aimé la nourriture~~ ?

Beaucoup — Moyennement — Très peu

☐ 10 ☐ 9 ☐ 8 ☐ 7 ☐ 6 ☐ 5 ☐ 4 ☐ 3 ☐ 2 ☐ 1

Recommanderiez-vous vos parents à d'autres enfants ~~notre restaurant~~ ?

Beaucoup — Moyennement — Très peu

☐ 10 ☐ 9 ☐ 8 ☐ 7 ☐ 6 ☐ 5 ☐ 4 ☒ 3 ☐ 2 ☐ 1

Commentaires :

L'ouverture des parents face à la contestation de la nouvelle laisse à désirer...

Je leur ai dit que je trouvais ça stupide, que je ne comprenais pas pourquoi ils se séparaient après toutes ces années. Je leur ai même demandé à quoi ça avait bien pu servir de se marier si c'était pour en finir là de toute façon! (Moi, je me marierai avec mon âme sœur et ce sera pour la vie! Surtout si j'ai une famille avec lui! Jamais je ne forcerai mes enfants à subir un divorce...)

Les magazines de mariage devraient être plus réalistes...
Pour toujours
Vol. 32
Édition printemps-été
Special divorce
55 arrangements floraux à couper le souffle
Comment choisir son mari ~~sa robe~~ sans se ~~ruiner~~ tromper
Les maquillages les plus discrets
Combattre le stress
L'ABC des invitations
Supplément de 20 pages sur les meilleurs cocktails
Les mariages en plein air

Mes parents sont restés très calmes et m'ont assuré que ma réaction était normale (ben quin!). Ils nous ont répété qu'ils se séparaient parce qu'ils n'avaient plus grand-chose en commun et qu'ils ne ressentaient plus le besoin de vivre ensemble... Trop stupide comme raison! En plus, ça ne veut rien dire de précis. Genre, c'est quoi? Parce qu'ils font des métiers différents et qu'ils ont des passe-temps différents, ça veut automatiquement dire qu'ils ne sont plus faits pour être ensemble? Et puis, à part ça, à quel point une personne peut-elle changer dans une vie, sérieusement? Je ne pense pas qu'ils soient si différents des jeunes qu'ils étaient quand ils se sont mariés, voyons donc!

Le pire, dans toute cette histoire, c'est que je semble être la seule que ça met en colère. Mon frère grogne et hausse les épaules (classique!), ma mère s'inquiète pour nous (évidemment!) et mon père est triste de nous quitter, selon ce qu'il dit (ben... reste, d'abord!).

Trop *full* compliqué pour rien...

Nous avons le regret de vous informer du décès subit de la famille Perron.

Veuillez ne pas envoyer de fleurs et faire des dons à la Fondation des parents pas rapport qui bousillent la vie de leurs enfants.

Formons-nous toujours une famille si nous ne vivons plus sous le même toit?

Anyway... La discussion-sur-le-divorce-prise-deux n'a pas apporté grand-chose (si ce n'est que cette fois-ci, je m'en souviens et je commence à mieux comprendre mes sentiments face à tout ça... Bref, ça me fout en beau &?/%$»!%*!)

Mon père n'est évidemment pas resté longtemps. Il est reparti tout de suite après. J'ai englouti mon assiette en vitesse, puis je me suis réfugiée dans ma chambre avant de devoir jaser avec ma mère de façon «mature» sur le divorce... Je n'ai pas le goût d'en parler et je n'ai sûrement pas envie d'être mature! Je suis fâchée, un point c'est tout. Qu'on me fiche la paix!

Ggggrrrrr!

* * *

Samedi matin, quand je me suis levée, je ressentais encore beaucoup la colère de la veille et je n'avais toujours pas envie de discuter. Heureusement, tout le monde dormait, alors je suis descendue à la cuisine à pas de loup, et j'ai gobé quelques bouchées de céréales et une banane avant de laisser un mot à ma mère et de m'éclipser. Je voulais me rendre à L'Évasion pour m'assurer que monsieur Dumas allait bien et que rien n'avait changé. Je m'inquiétais un brin et j'espérais vraiment ne pas me cogner le nez sur la porte encore une fois...

M'en vais
Prendre l'air...
À+

Dehors, il faisait un froid mordant, le genre de froid qui fait pleurer les yeux pour mieux cristalliser les larmes sur les cils et les rendre tout collants et inconfortables. La neige protestait fermement sous mes bottes par de gros craquements secs. Comme la plupart des gens demeuraient au chaud dans leur maison, Saint-Creux était désert, envahi par le silence, et j'avais l'impression que le monde entier me regardait avec de gros yeux à cause du vacarme que je faisais rien qu'en marchant.

Dix minutes plus tard, j'arrivais devant L'Évasion (il devait rester genre deux minutes avant l'ouverture). Je marchais d'un pas décidé vers la porte de la boutique lorsqu'un évènement étrange m'a stoppée net: un jeune homme (genre, début vingtaine), a tourné le coin et s'est arrêté devant la librairie. Il a tiré un trousseau de clés de sa poche de manteau et a déverrouillé la porte avant de s'engouffrer à l'intérieur... Qui était-il? Où donc était monsieur Dumas?!

Je suis de nature plutôt timide, mais puisque tout le monde connaît tout le monde à Saint-Creux, je ne souffre habituellement pas trop de cette timidité. Or, ce garçon-là, je ne l'avais jamais vu auparavant... et si je le suivais dans la boutique, je me retrouverais sûrement seule avec lui.

Il me parlerait assurément...

Un peu parce que je voulais obtenir des réponses à mes questions, mais surtout à cause du froid, j'ai affronté ma gêne et je me suis forcée à pénétrer dans le commerce. La clochette a tinté, mais personne n'est venu à ma rencontre.

Tandis que je farfouillais dans mes poches de manteau à la recherche d'un mouchoir pour m'essuyer le nez, le garçon est finalement sorti de l'arrière-boutique (il était allé se débarrasser de son manteau), et puisque je n'avais pas réussi à dénicher un mouchoir, j'ai essuyé le plus gros des dégâts sur le dos de ma mitaine de laine (note pour bibi: n'oublie pas de mettre tes mitaines au lavage...) J'ai enfoui le bas de mon visage dans mon foulard afin de dissimuler un peu le gros bouton de stress qui avait poussé sur mon menton en l'espace d'une nuit. En me voyant, le jeune homme m'a souri.

Me prenant sans doute pour une cliente, il s'est approché pour m'offrir son aide.

— Salut, qu'il m'a lancé. Je peux t'aider? Tu cherches quelque chose?

— Euh...

Il avait une bonne tête de plus que moi, et ses cheveux bruns (ni courts ni longs) se chamaillaient clairement à savoir lequel serait le roi de la montagne. Il avait des yeux bleu-gris-vert qui exprimaient beaucoup de douceur et il portait des petites lunettes rondes et argentées à la Harry Potter. Il ~~avait~~ affichait un beau sourire sincère et portait un t-shirt d'un *band* que je ne connais pas. (Enfin, je me doute qu'il s'agissait d'un groupe de musique, mais ça aurait tout aussi bien pu être le titre d'un album, d'un livre ou d'un film, pour ce que j'en sais!)

— Est-ce que ça va?

Trop vrai! Il m'avait posé une question... J'aurais mieux fait de lui répondre plutôt que de le détailler...

— Oui! Euh, je... je cherche monsieur Dumas.

— C'est moi, m'a-t-il répondu en fronçant les sourcils.

Hein?! Avais-je le cerveau gelé par ma marche matinale dans le froid hivernal? Ou avais-je traversé, en déambulant dans les rues abandonnées, une porte invisible qui m'avait envoyée plusieurs années dans le passé? (Je le savais que l'ambiance statufiée du dehors n'était pas normale! Trop *cool*! Mais en même temps, un peu *freakant*...)

Mouais, le « vieux » monsieur Dumas est quand même pas laid au point d'être comparé à monsieur Hyde!

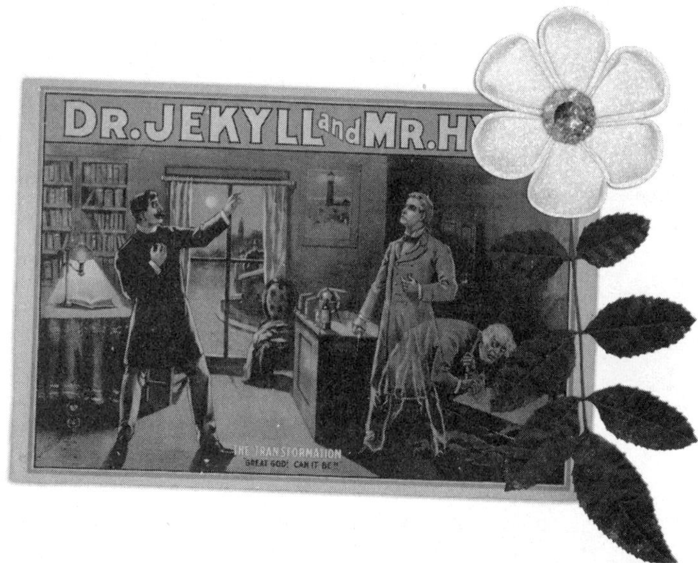

— Oh! s'est-il aussitôt exclamé en se frappant légèrement le front. Tu dois parler de mon oncle!

Oui, sûrement! C'était une explication beaucoup plus logique qu'une porte magique invisible... Dommage.

J'aurais alors dû enchaîner et dire quelque chose (c'est le principe de base d'une conversation: chacun parle à son tour), mais je n'arrivais pas à me souvenir du prénom de monsieur Dumas.

— Tu cherches *Gilbert* Dumas? m'a demandé le jeune homme, comme s'il avait deviné mes pensées.

— Euh... oui! C'est ça!

Décidément, ma matinée prenait une tournure de plus en plus surréaliste.

d
Pas aussi surréaliste
que ça, mais n'empêche!

D'abord, la «désertitude» des rues de Saint-Creux, le froid sibérien, le retour dans le temps (pendant quelques secondes, j'y ai vraiment cru!), et maintenant, ce... neveu de monsieur Dumas qui se matérialisait dans la boutique comme s'il était le maître des lieux et qui me faisait passer pour une âme perdue détonnant dans le décor. C'était pourtant bien moi qui travaillais à cette librairie depuis six mois, que je sache!

Je me rappelle m'être dit que je devrais lui demander son nom, que je ne pouvais pas juste l'appeler le Neveu!

— Je suis Érik, avec un «k», s'est-il présenté en me tendant la main. Érik Dumas.

(Entendait-il donc vraiment tout ce qui se passait dans ma tête?!)

Je me suis débarrassée de mes mitaines morveuses en une fraction de seconde et les ai fourrées dans la poche de mon manteau (yeurk!) avant de serrer la main tendue.

— Justine, ai-je répondu. Justine Perron.

— Ah! Alors c'est toi «l'employée»!

En disant ça, il a même esquissé des guillemets dans les airs! Il connaissait donc ma «situation» à L'Évasion.

LIBRAIRIE
L'ÉVASION
Depuis 1961
Justine Perron
« employée »
103, rue Principale
Sainte-Marie-Anne-des-Anges, QC
G9X 3S6
Tél.: 819.555.1900
Téléc.: 819.555.1901
levasion.qc.ca
Mais je travaille pour vrai!

– Mon oncle m'a parlé de toi, a-t-il expliqué tandis qu'il se plaçait derrière le comptoir pour démarrer la caisse enregistreuse. Il m'a dit que tu viendrais probablement aujourd'hui pour refaire la vitrine et ce bout de comptoir, a-t-il poursuivi en désignant le coin en question.

Je ne pouvais m'empêcher de le dévisager, sans mot dire. Il semblait vraiment à son aise! Mais que diable faisait-il ici? Où se trouvait monsieur Dumas? Seulement six jours s'étaient écoulés depuis mon dernier quart de travail à la librairie, et voilà que ce «neveu»

«MOI AUSSI, JE SUIS CAPABLE D'UTILISER DES GUILLEMETS!»

semblait maintenant diriger le commerce, comme si de rien n'était.

Constatant que je gardais toujours le silence alors que j'aurais dû dire quelque chose, Érik s'est tourné vers moi en me toisant avec des points d'interrogation dans les yeux. Il attendait (encore) une réponse de ma part. Voilà, on avait atteint le point de non-retour. La première impression était faite: Érik devait maintenant croire que son oncle avait engagé une demeurée par charité.

— Oui, euh... c'est ça, je crois. (Comment ça, «je crois»??! Voyons, Justine, affirme-toi!) Je... j'essaie de venir toutes les semaines pour regarnir le comptoir et tous les mois pour la vitrine. Mais, euh... où est monsieur Dumas?

— Oh! C'est vrai, excuse-moi! s'est-il exclamé en refermant le tiroir-caisse. Mon oncle est à l'hôpital.

— QUOI?

— Ne t'inquiète pas, m'a-t-il ménagée en levant les mains devant lui. Il va bien. Il a fait un petit infarctus. Rien de grave, selon les docteurs, mais ils considèrent ça comme un avertissement suffisamment

sérieux pour obliger mon oncle à prendre quelques semaines de repos. Comme la librairie constitue une grande source de stress pour lui, les médecins souhaitent qu'il s'en éloigne un peu. J'ai donc offert à mon oncle de le dépanner le temps qu'il se remette.

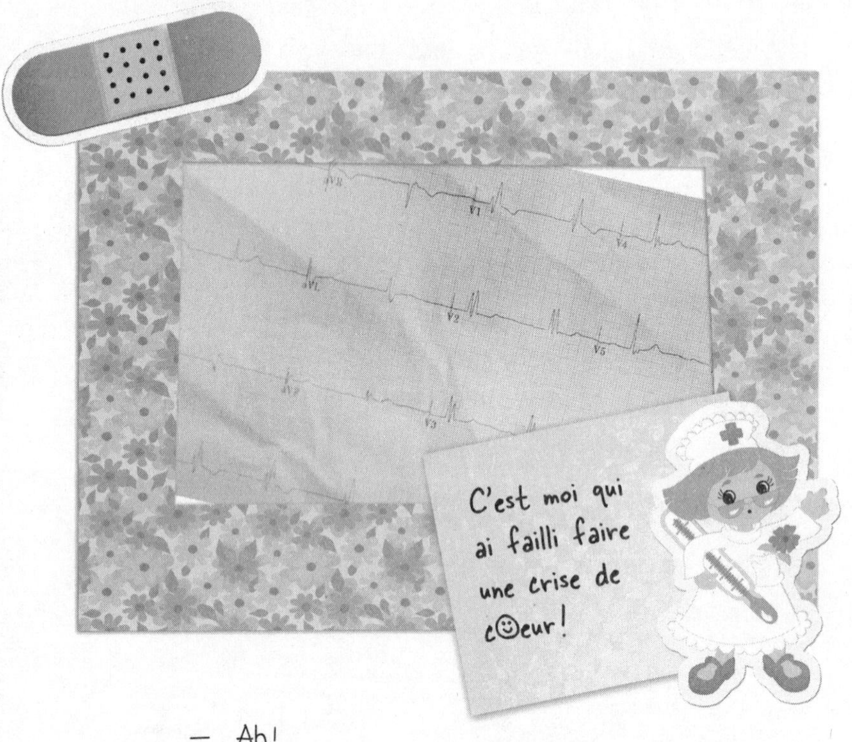

C'est moi qui
ai failli faire
une crise de
c☺eur!

— Ah!

Érik m'a alors regardée pour s'assurer que je ne trouvais pas la nouvelle trop alarmante. Afin de ne pas paraître trop insensible, j'ai rajouté:

— Tant mieux. Euh, tant mieux s'il va bien, je veux dire, pas tant mieux s'il doit prendre congé.

T'es, euh... *Vous* êtes donc, hum, comme, un peu, genre, un patron temporaire...

(Bravo, Justine! +1 pour la perspicacité... Et +2 pour la politesse excessive! Depuis quand tu vouvoies les gars??? Mais -10 points pour la maladresse et les mots pas rapport. Bonjour la syntaxe! Érik doit sûrement te prendre pour une imbécile finie, maintenant.)

Ouf! Pas cool!

— On peut dire ça! a-t-il acquiescé en se penchant sur le tiroir qu'il venait de retirer de la caisse et qui contenait de l'argent. Quoiqu'il serait plus juste de dire que je suis un genre de gérant, puisque le patron, c'est encore Gilbert. Et tu peux me tutoyer, tu sais!

— Bon, euh, OK... Est-ce que ça veut dire que je peux me mettre au travail?

— Fais comme chez toi, m'a-t-il signifié sans lever la tête, en désignant la librairie d'un mouvement de la main, tout en comptant l'argent dans le tiroir-caisse.

Je n'ai pas demandé mon reste et me suis dirigée vers l'arrière-boutique pour me débarrasser de mon kit d'hiver (manteau, foulard, bottes, etc.) Une fois mes ~~running shoes~~ espadrilles chaussées, j'ai hésité à retourner dans la boutique. Je n'arrivais pas à l'expliquer, mais Érik m'intimidait. Sans doute parce qu'il est plus vieux que moi. C'était peut-être juste un effet de ma gêne chronique, mais quand même! J'avais bafouillé devant lui et je n'arrivais pas à retrouver mon aplomb... Ça me faisait sentir immature et inadéquate, alors que j'aurais tellement voulu bien paraître...

Je l'ai déjà dit, je souffre de perfectionnisme et je refuse d'être moins que parfaite. Cependant, quiconque me connaît sait très bien que, si j'ai déjà été parfaite, c'était sans doute par ~~erreur~~ inadvertance, car mon talent réside surtout dans les autohumiliations et autres catastrophes personnelles que je m'inflige (involontairement) au quotidien. (Bref, j'ai tellement le don de me mettre les pieds dans les plats que ces plats sont devenus comme mes pantoufles avec le temps...)

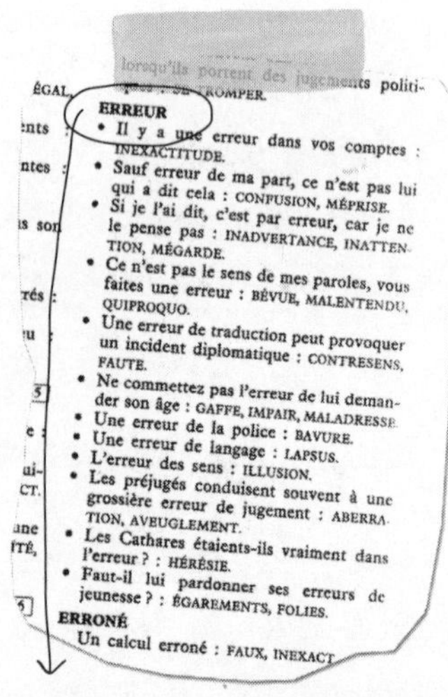
lorsqu'ils portent des jugements politi-ques : SE TROMPER.

ERREUR

- Il y a une erreur dans vos comptes : INEXACTITUDE.
- Sauf erreur de ma part, ce n'est pas lui qui a dit cela : CONFUSION, MÉPRISE.
- Si je l'ai dit, c'est par erreur, car je ne le pense pas : INADVERTANCE, INATTENTION, MÉGARDE.
- Ce n'est pas le sens de mes paroles, vous faites une erreur : BÉVUE, MALENTENDU, QUIPROQUO.
- Une erreur de traduction peut provoquer un incident diplomatique : CONTRESENS, FAUTE.
- Ne commettez pas l'erreur de lui demander son âge : GAFFE, IMPAIR, MALADRESSE.
- Une erreur de la police : BAVURE.
- Une erreur de langage : LAPSUS.
- L'erreur des sens : ILLUSION.
- Les préjugés conduisent souvent à une grossière erreur de jugement : ABERRATION, AVEUGLEMENT.
- Les Cathares étaients-ils vraiment dans l'erreur ? : HÉRÉSIE.
- Faut-il lui pardonner ses erreurs de jeunesse ? : ÉGAREMENTS, FOLIES.

ERRONÉ

Un calcul erroné : FAUX, INEXACT.

Hello dictionnaire des synonymes!

des autohumiliations et catastrophes de Justine

1re place : humiliation trop profonde pendant le cours de gym l'an dernier, je n'ose même pas retranscrire l'évènement ici tant j'en suis encore mortifiée. En tous cas, l'évènement remporte la Palme d'Or de la Honte. Félicitations... :(

Top 3

Championne !

OMG ! On dirait que les catastrophes « justinesques » empirent avec le temps !

2e place : l'épisode mémorable de la « tache rouge sur mon fessier, paradée dans toute l'école »... un évènement consigné avec beaucoup de détails dans mes archives personnelles, pour la postérité,

3e place : la fois où, en première secondaire, je me suis endormie sur mon bureau pendant le cours d'histoire et je me suis réveillée avec ma gomme collée dans une mèche de cheveux. J'ai eu l'air folle pendant un mois à cause de ça !

Ma première rencontre avec Érik – alias mon nouveau patron, alias le nouveau gérant – a sans doute été un <u>échec</u> sur toute la ligne, mais je finirai de raconter ça une autre fois parce que là, l'école recommence demain, et il se fait tard déjà... Bonne nuit !

L'école est recommencée. Première journée aujourd'hui et, dès le deuxième cours, j'avais déjà envie de rentrer à la maison: Raphaël a une nouvelle blonde qui, tout comme lui, est dans mon cours de maths! Ils écoutaient à peine, se minouchaient bruyamment dans le fond de la classe et, étonnamment, monsieur Lagacé ne les a même pas avertis!

l'école

Je ne suis pas jalouse, là! C'est juste que...

Oh pis oui, je suis un peu jalouse. Il n'a jamais fait de démonstrations publiques d'affection comme ça avec moi. À la place, il m'évitait carrément à l'école pour «m'empêcher d'avoir des ennuis»... La preuve qu'il avait honte de moi et qu'il aime plus sa nouvelle blonde qu'il ne m'a jamais aimée (SI il m'a jamais aimée...).

Oh! Et le pire... Sa nouvelle blonde est Mérédith Cartier (ou la Nunuche pour les intimes).

Mouais... Sans commentaires. Mais d'après moi, il va couler ses maths, lui...

J'en connais un qui va frapper un iceberg à son tour!

Anyway, pas envie de penser à lui. Je vais plutôt continuer mon entrée précédente: celle qui parle de ma rencontre avec Érik.

Samedi, donc, après avoir retiré mon kit d'hiver et avoir hésité quelques instants (à savoir si j'allais conserver mon foulard afin de masquer mon bouton...), je suis finalement retournée dans la boutique. Érik avait allumé les lumières (j'ai toujours adoré le fait que la librairie ne soit pas éclairée par des néons, mais par des plafonniers qui ~~donnent~~ confèrent à l'endroit une ambiance feutrée et romantique) et il étudiait maintenant différents registres que j'avais souvent vu monsieur Dumas vérifier.

Comme je ne savais pas trop de quoi lui parler, j'ai juste baissé la tête et me suis affairée à défaire mon coin de comptoir et à replacer les ouvrages invendus sur les tablettes. Il devait vraiment lire dans mes pensées, car, au lieu d'entamer une conversation insignifiante (qui aurait sans doute amplifié mon embarras), il a mis de la musique.

Avec monsieur Dumas, on écoute toujours un poste de radio qui diffuse seulement de la musique classique. J'ai rien contre, sauf que, des fois, ça devient un peu répétitif. Mais samedi, alors que je me trouvais empêtrée dans mon malaise, j'ai accueilli le secours du classique avec joie. J'ai donc entamé mon quart de travail soulagée.

Tandis que j'organisais mon présentoir (j'avais choisi comme thème les sports d'hiver), Érik s'est pointé derrière moi :

— Qu'est-ce que tu fais?

— Ben... je travaille!

(Quelle question! *Come on!*)

— Oui, je vois... mais pourquoi mettre de l'avant des livres sur les sports d'hiver?

— Ben... parce que c'est l'hiver...

(Duh!)

— Bravo pour l'observation, mais «marketingment» parlant, il n'y aurait pas une meilleure option, non?

Était-il réellement en train de critiquer mon travail?! Pour qui se prenait-il?!! Il a aussitôt continué sur sa lancée sans me donner l'occasion de répliquer (de toute façon, il avait sûrement compris à présent que je ne pouvais faire autre chose que de le fixer avec mes yeux de grenouille muette):

— Tu sais, en janvier, les gens qui pratiquent les sports d'hiver sont déjà bien avancés dans la saison. Ce qu'il faut faire, pour vendre des livres ou quoi que ce soit d'autre, c'est anticiper les désirs du client, créer un besoin.

Un cours de marketing? Vraiment?

— Regarde. Ferme tes yeux et dis-moi de quoi t'as envie quand tu penses au mois de janvier.

J'ai haussé un sourcil et l'ai dévisagé l'air de dire: «T'es sérieux?»

— Je suis sérieux! s'est-il exclamé en voyant encore une fois à travers moi avec une facilité déconcertante. Ferme tes yeux et dis-moi ce que tu vois.

Incrédule et exaspérée, j'ai lâché un long soupir, mais j'ai fini par m'exécuter. Je me suis concentrée sur la température extérieure: le froid, le vent, les yeux qui pleurent, le nez qui coule, les paupières qui collent, les joues qui figent, les cuisses qui picotent quand elles dégèlent... Ce frisson continuel. Ce blanc trop blanc qui avale toutes formes et couleurs...

Puis, tout doucement, une autre image s'est imposée d'elle-même à mon esprit: une plage dorée, à l'ombre de palmiers verdoyants et bordée par un océan du plus beau des turquoises sous un soleil chaud et radieux. J'entendais quasiment le bruit relaxant des vagues qui venaient s'écraser sur le sable, et l'air salin inventé par mon esprit me piquait presque les narines. Un verre froid suait dans ma main et je pouvais deviner sur ma langue le goût d'une mixture ananas et noix de coco...

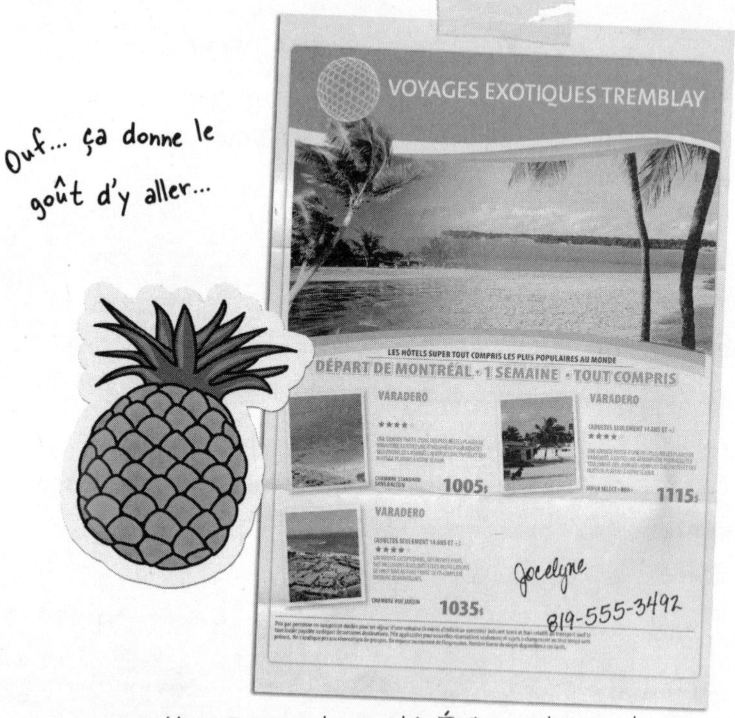

— Alors? m'a demandé Érik au bout d'un petit moment, brisant le voyage.

— La mer, ai-je répondu, le cœur alourdi lorsque j'ai réalisé que cette vision n'avait rien de réel.

Pour toute réponse, Érik m'a souri.

Il n'avait pas besoin d'en dire davantage, j'avais compris. Il a simplement tourné les talons et a disparu dans l'arrière-boutique afin de s'occuper d'une commande oubliée en raison de tout le branle-bas de combat causé par le départ subit de monsieur Dumas.

Je me suis alors plantée devant mon comptoir et je l'ai trouvé terne, pas invitant du tout.

Je déteste admettre que j'ai tort, mais cette fois-ci, c'était trop flagrant pour laisser une quelconque place au déni: Érik avait raison. En janvier, la plupart des gens ont besoin de chaleur et de vacances. Une fois gobée l'acceptation de mon erreur, je me suis enthousiasmée comme jamais auparavant! J'avais vraiment envie de me retrouver sur la plage! J'ai donc donné mon 200 % et j'ai défait mon projet initial sur les sports d'hiver. Pendant que je démontais le présentoir, mes méninges se faisaient aller à cent milles à l'heure et les idées semblaient se bousculer à la porte de mon cerveau.

J'ai bravé le froid une fois de plus et je me suis rendue au magasin général un peu plus loin, sur la rue Principale, pour y acheter deux sacs de sable (dont on se sert normalement pour rendre les trottoirs et les escaliers moins glissants durant l'hiver), un rouleau de papier d'emballage uni de couleur bleu ciel et un paquet de purificateurs d'air pour l'auto à senteur d'embruns marins. De retour à la librairie, j'ai déversé le contenu des sacs de sable sur le plancher de la vitrine, ce qui m'a valu un coup d'œil mi-ébahi, mi-admiratif de la part d'Érik et un «*Oh boy!* Tu n'y vas pas avec le dos de la cuillère, toi! C'est toi qui ramasse le mois prochain, hein?» Je suis ensuite retournée chez nous en toute hâte et me suis frayée un chemin jusqu'au cabanon où j'ai déniché un parasol, un ballon de plage tout dégonflé et un vieux kit de jouets pour le sable (seau, pelle, tracteur) datant de quand nous étions petits, Guillaume et moi. J'ai aussi «volé» à ma mère quelques fleurs artificielles blanches décorant notre foyer, la serviette de plage marquée «Miami» qu'Ana m'avait offerte cet été et un petit miroir rond accroché dans l'entrée de la maison.

Maintenant, mon scrapbook aussi sent les vacances!

Ma mère a accepté d'aller me reconduire avec tout mon attirail (fiou! J'en avais marre de marcher dans ce froid sibérien!) J'ai tapissé le mur au fond de la vitrine et j'y ai accroché le miroir rond dans lequel je me suis employée à faire réfléchir un des *spots* qui éclairent la vitrine (pour créer un effet « soleil ») avant de parsemer la fausse plage des accessoires rapportés de la maison. Quelques supports à livres ont complété la décoration murale, sur lesquels j'ai placé des exemplaires de guides de voyage sur le Mexique et autres destinations tropicales, des livres remplis de photos exotiques et quelques suggestions de romans légers à mettre dans les valises.

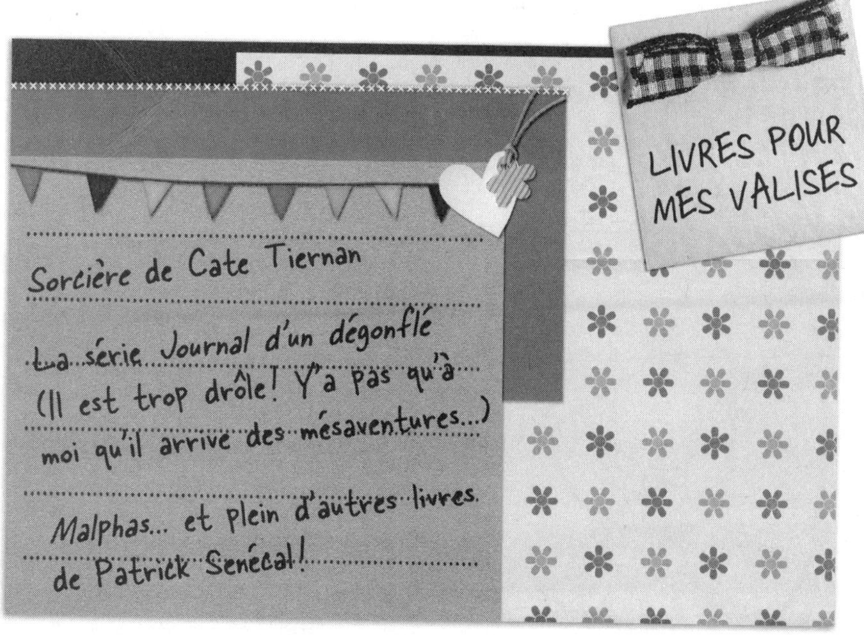

LIVRES POUR MES VALISES
Sorcière de Cate Tiernan
La série Journal d'un dégonflé (Il est trop drôle! Y'a pas qu'à moi qu'il arrive des mésaventures...)
Malphas... et plein d'autres livres de Patrick Senécal!

L'odeur du «sent-bon pour voiture» dissimulé dans le seau de plage s'est rapidement propagée dans la boutique, et mon cœur s'est mis à chanter. Je n'avais plus qu'une seule envie: rester dans la librairie pendant des heures et des heures! (J'espère tellement voir la mer un jour – la vraie! celle du Sud! J'ai vu l'océan en Gaspésie et on a fait quelques escapades «plagesques» à l'Île-du-Prince-Édouard, mais ce n'est pas comme aller à Cuba ou à Miami! Enfin, je crois...)

Satisfaite du travail accompli, je me suis plantée devant mes étalages et les ai admirés, les poings sur les hanches. Érik m'a félicitée avec force (il m'a dit: «Je comprends à présent pourquoi Gilbert ne peut plus se passer de toi!») Ça m'a tellement remplie de joie que j'aurais pu exploser!

Justine Perron combat le blues hivernal... et gagne!

TADAAAM!

Il m'a ensuite demandé si je comptais revenir le lendemain (dimanche), car il aurait peut-être besoin de moi. Je ne savais pas trop quoi dire, mais j'avais tellement envie de sentir de nouveau mon étalage que j'ai accepté. Il m'a souri et m'a remis mon salaire de la journée.

J'ai remis mes bottes dégoulinantes de sloche et j'ai quitté la librairie. Quelle ne fut pas ma surprise de voir deux personnes déjà en train d'admirer mon œuvre! Ils souriaient et détaillaient les livres en présentation. J'aurais pu flotter de fierté jusque chez moi!

(Oups! C'est l'heure du souper... À plus tard!)

UH-OH...

Mauvaise nouvelle ce matin à l'école: l'équipe du journal a appris que madame Beauchemin avait dû quitter pour un congé de maladie. Apparemment, elle était en rémission d'un cancer du sein. Les choses allaient plutôt bien, mais son médecin aurait décelé une nouvelle bosse lors d'un examen de suivi pendant la période des Fêtes...

Comme moi, elle a reçu un «cadeau» vraiment pas *cool* pour souligner le changement d'année... (Sauf que le sien est pas mal pire que le mien...) OK, c'est quoi ce Nouvel An de m**de?!

À la troisième période aujourd'hui, j'avais justement un cours de français. Je m'attendais donc à avoir une suppléante, mais la direction avait déjà trouvé quelqu'un pour remplacer madame Beauchemin à long terme: madame Béatrice Péloquin.

Je suis à court de mots...

Je veux bien être de bonne foi, mais je ne peux m'empêcher de déceler de l'animosité et de la mesquinerie chez ma nouvelle prof... et qui semblent curieusement dirigées contre moi. Bof, c'est peut-être juste mon imagination débridée qui fait des siennes. Sauf que, même en analysant de manière objective tout ce qui s'est produit aujourd'hui pendant mon cours de français... il y a des choses qui s'expliquent mal.

Par exemple: chaque fois que madame Péloquin posait une question et que personne ne levait la main pour répondre, elle me désignait d'office (expression apprise pendant les vacances). Quand je ne savais pas la réponse, elle avait presque l'air contente. (???) Et les quelques fois où je donnais la bonne réponse, elle trouvait toujours quelque chose à corriger dans ma phrase (genre la syntaxe, les anglicismes, etc.)

J'ai vérifié en arrivant à la maison, et ce mot peut s'écrire des deux façons – « événement » ou « évènement » sont tous les deux acceptés. Alors pourquoi elle m'a reprise ?! Oh, je crois que je la déteste déjà !)

deuxième personne du pluriel de l'indicatif imparfait et du subjonctif présent. *(Que) nous éveillions, (que) vous éveilliez.*

ÉVÈNEMENT ou **ÉVÉNEMENT** n. m.

1. Fait marquant. *Un évènement historique. Les évènements du 11 septembre 2001.*

T Les noms d'évènements historiques sont des noms propres. Le nom caractéristique s'écrit avec une majuscule ainsi que l'adjectif qui le précède. *Mai 68, l'Inquisition, la Libération, la Révolution de 1789, la crise d'Octobre, la Révolution tranquille, la Grande Guerre.*

2. Circonstance. *Ils sont dépassés par les évènements.*

L'orthographe ***évènement***, qui respecte la prononciation, a été admise par l'Académie française. Elle est de plus en plus courante.

LOCUTION

– ***Attendre un heureux évènement.*** Attendre un enfant.

FORME FAUTIVE

*à tout évènement. Calque de «*at all events*» pour ***quoi qu'il arrive, dans tous les cas, peu importe.***

Ne pas confondre avec le nom ***avènement***, arrivée, début.

ÉVÈNEMENTIEL ou **ÉVÉNEMENTIEL, IELLE** adj.

Qui se limite à décrire les évènements. *Un récit évènementiel.*

ÉVENT n. m.

Je veux bien lui laisser le bénéfice du doute et tenir compte du fait que ça ne doit pas être évident de remplacer au pied levé (ça veut dire « sans préparation » ou, dans son cas, sans expérience tout court, on dirait ! Grrrr !) une autre enseignante en plein milieu d'année, et que ça doit constituer une grande source de stress. Donc voilà, je considère que je devrais lui ~~donner~~ accorder une seconde chance. On verra comment ça ira demain et vendredi pendant mes prochains cours de français...

Espérons qu'elle ne se chargera pas des fonctions de madame Beauchemin au journal !

J'ai inséré plein de porte-bonheur ici, juste pour m'assurer que la chance sera de mon bord !

*

Changeons de sujet et revenons à ma journée de dimanche à L'Évasion.

Érik avait besoin de mon aide, car il voulait changer quelques trucs de place pour améliorer la circulation dans la librairie. Comme il faisait encore un froid à faire tomber les doigts, on n'a pas eu beaucoup de clients durant la journée...

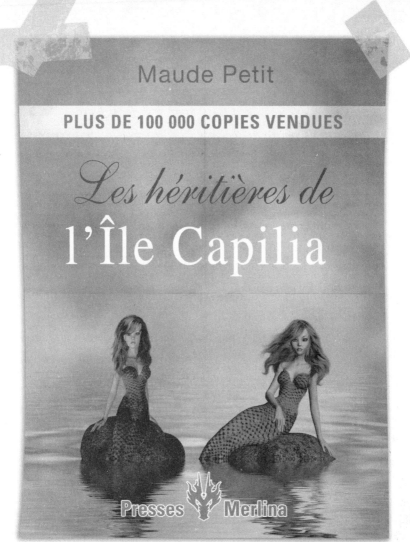

En réorganisant le magasin, Érik en a profité pour se débarrasser de plein de catalogues poussiéreux et d'affichettes qui traînaient sous les meubles. J'en ai gardé quelques-unes pour décorer mon casier à l'école. La réutilisation, c'est bien mieux que le recyclage, hé hé!

Nous avons donc pu déplacer des étagères, des piles de livres, etc., sans être interrompus. De toute façon, même s'il y avait eu des clients, ils n'auraient pas «interrompu» grand-chose, car notre conversation se résumait platement à des «Peux-tu tenir ceci?» ou «Je pensais mettre cette table au fond...» Je me sentais comme la tante d'Ana qui ne sait pas «quoi acheter à une ado», sauf que moi, c'était plutôt «je ne sais pas quoi dire à un jeune homme». Je ne pensais pas que quelques années de différence pouvaient causer un tel écart de générations! Pourtant, ma cousine Nadia est plus vieille que moi et je n'ai aucune difficulté à entamer une conversation avec elle. En fait, ça ne se compare pas vraiment, car nous jasons de sujets de filles, et je me vois difficilement discuter de maquillage et de relations amoureuses avec mon nouveau «patron temporaire». Aussi, comme Nadia est ma cousine, je n'ai aucune raison d'être gênée, tandis qu'Erik semble faire ressortir ma timidité innée.

Évidemment, il devait ressentir mon inconfort car, vers le

milieu de la journée, il s'est efforcé d'amorcer une petite conversation amicale mais superficielle.

— Alors, t'es au secondaire? a-t-il commencé.

— Oui, ai-je répondu rapidement.

— En quelle année?

— Troisième. Et toi?

«Et toi?» Ai-je réellement dit ça? Misère... C'est vraiment moi la nunuche, parfois! C'est pourtant clair qu'il ne va plus au secondaire, il a l'air d'avoir 20 ans! Heureusement, il n'a pas relevé ce qui aurait pu être considéré comme une insulte et a simplement précisé:

— J'étais au cégep.

— Pourquoi «étais»? ai-je demandé, curieuse.

— J'avais choisi le programme «Administration», mais je me suis rendu compte que je détestais ça. Alors j'ai lâché quand j'ai su pour mon oncle.

« Cégep »... Ça lui fait donc au moins 17-18 ans?

— Ça t'a comme servi d'excuse, c'est ça?

— Un peu, ouais, a-t-il avoué, embarrassé.

(Bravo pour les questions indiscrètes, Justine! T'as le don de mettre les gens à l'aise...)

Le silence inconfortable a rappliqué au galop, mais cette fois, j'ai pris mon courage à deux mains et j'ai poursuivi la conversation:

— Tu vas faire quoi, alors?

Il a haussé les épaules.

— Je ne sais pas trop. Ce que j'aimerais vraiment, c'est étudier en littérature, mais...

— Mais? Pourquoi tu ne le fais pas? ai-je demandé avec enthousiasme avant de tourner ma langue sept fois dans ma bouche. (C'est vrai, quoi! Ça ne te regarde pas à la fin, Justine! En plus, t'as l'air d'une vraie *cheerleader*! Il va se demander pourquoi tu te passionnes autant pour son choix de carrière!)

— Parce que... a-t-il simplement lâché en détournant les yeux.

Il n'en a pas dit plus et je n'ai pas insisté. Après tout, ce n'était vraiment pas de mes affaires ! On a continué notre réaménagement dans un silence grandissant, brisé uniquement par les envolées musicales de Bach, puis Érik s'est comme énervé :

— Je ne sais pas pourquoi, mais moi, le classique, ça ne m'aide pas à travailler physiquement. C'est bon pour le mental, mais ça ne me donne pas de force physique. Ça te dérange si je change le poste de radio ?

— Non, non. Pas du tout.

Je m'attendais à ce qu'il mette un truc de jazz ou de blues super intelligent et mature, mais il m'a totalement surprise en syntonisant un poste qui se consacre presque exclusivement à la musique de films et au métal symphonique ! Trop contente !!!! Je ne connais personne à mon école qui écoute ça, mais les gens respectent mes goûts (qu'ils considèrent bizarres), car ils savent que mon père travaille avec Imprecatio et ils croient que je n'ai pas le choix d'apprécier ce genre de musique. En plus, on était tombé pile sur une chanson de Nightwish, mon groupe préféré ! Je n'ai pas pu m'empêcher de lâcher un « *Oh yeah!* » et de me

mettre à chanter au son de la musique. Érik a eu l'air vraiment étonné.

— Wow! Tu connais Nightwish?

— Mets-en! Je les adore! ai-je précisé.

— Ayoye! La plupart des gens de mon entourage ne les connaissent même pas.

— Pfff! Poche, ai-je largué entre deux paroles que je gueulais avec joie.

— Ouin. Hé, est-ce que tu les as vus à Québec l'an passé?

— Non, ai-je répondu avec tristesse. Trop jeune pour aller là toute seule, selon ma mère.

— Dommage; c'était vraiment bon!

— Tu les as vus?!

— Oui! Première rangée, debout contre la clôture!

— ARGH! Chanceux!

— C'est pas de la chance, j'ai juste acheté un billet! a-t-il terminé avec un clin d'œil.

Et voilà! La discussion était amorcée! On a ensuite parlé pendant des heures de nos goûts musicaux respectifs, des livres qu'on aimait, des films qu'on avait vus vingt fois... Étonnamment, on se rejoignait sur plusieurs points! Il adore la série *Dexter* et a écouté les *Aliens, Jaws* et *Shaun of the Dead* un millier de fois, comme moi, de même que les vieilles parodies de Mel Brooks dont il connaît presque toutes les répliques par cœur! Il aime aussi les films de Tim Burton, mais il en a vu davantage que moi (mon père avait refusé que j'en voie certains sous prétexte qu'ils n'étaient «pas pour mon âge»... Peut-être que, maintenant qu'il est parti du foyer familial, cette restriction sera levée... Ben quoi? Il faut bien que je prenne les points positifs qui passent!)

Au niveau des livres, Érik a lu beaucoup de grands classiques qui me semblaient un peu arides (mon savoir s'étend surtout à la littérature dite «jeunesse», et ça me faisait sentir un peu juvénile, mais il m'a assuré qu'il préfère les livres comme les

Harry Potter et la série *The Wardstone Chronicles* aux chefs-d'œuvre d'il y a cent ans, qu'il qualifie d'«instructifs, mais pas aussi divertissants») Il a aussi dévoré tous les Anne Rice et le *Dracula* de Bram Stoker, que ma mère ne veut pas me laisser lire parce qu'il paraît qu'il y a beaucoup de trucs osés dans ces romans.

Côté musique, Érik a beaucoup plus de connaissances que moi! Il m'a parlé avec fougue de plusieurs groupes dont je n'avais même jamais entendu le nom, mais j'en ai notés plusieurs qui, je crois, pourraient m'intéresser.

Ouf! C'est une longue entrée, hein? Je vais m'arrêter ici, car je compte aller faire quelques achats sur iTunes!

Within Temptation (que je connais déjà un peu), Epica, Leaves' Eyes, After Forever, Kamelot...

Blind Guardian (qui a fait un album dédié à l'univers du Seigneur des Anneaux intitulé *Nightfall in Middle-Earth*)

Northern Kings – ils font des covers de chansons

...

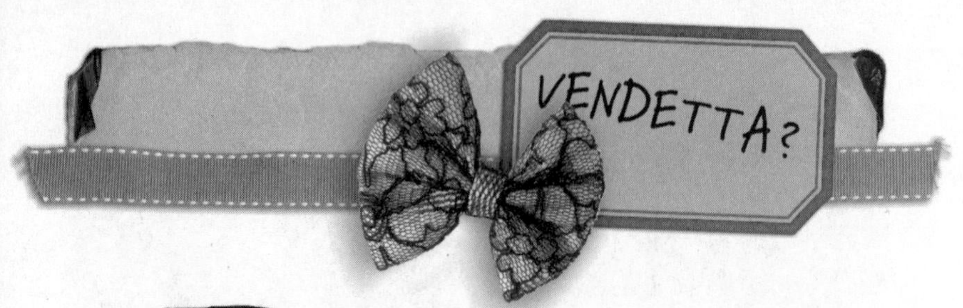

OK, le mot est peut-être un peu fort, mais sérieux, j'ai vraiment l'impression que madame Péloquin m'en veut personnellement et qu'elle a décidé de me faire haïr la vie avant la fin de l'année scolaire!

Premièrement, elle s'est jointe à l'équipe du journal (!@?#&!). Donc, elle a eu accès aux textes que j'ai soumis pour le feuilleton (qui s'avère beaucoup plus difficile à rédiger que je le pensais! Je ne savais pas, moi, à quel point maintenir l'intérêt du lecteur à travers une série de textes est exigeant! Et il faut toujours trouver quelque chose de nouveau, d'intéressant, etc. Mais c'est quand même hyper le *fun*! Enfin, ça l'était jusqu'à tout récemment...) Madame Péloquin s'est fait un plaisir de passer tous mes écrits en revue, cette semaine, et m'en a redonné des copies corrigées (même si certains d'entre eux avaient déjà été publiés dans le journal étudiant, là!) Et ses corrections? Un millier de fois pires que ce que madame Beauchemin avait fait avant elle... Vraiment pas *cool*.

À revoir !

Océane, 5e partie

La lune ~~se levait~~ *s'était levée* et éclairait à présent la chambre d'Océane. Un bruit ~~la réveilla~~ *l'avait réveillée* en sursaut et elle alla jusqu'à sa fenêtre afin de percer le voile *l'obscurité* de la nuit. Une majestueuse chouette était perchée dans le chêne de la cour, et elle ~~sentit plus qu'elle~~ n'entendit son appel. Mue? par une force inconnue, elle revêtit sa robe de chambre, ~~chaussa~~ *enfila* ses souliers et enjamba le rebord de la fenêtre. Elle ~~n'avait peur~~ *ne craignait* ni ~~de~~ la noirceur ni ~~de~~ la hauteur, car une puissance incroyable s'était emparée d'elle et elle avait maintenant *désormais* le sentiment qu'elle pouvait flotter. Elle se laissa glisser jusqu'au sol et la chouette vint ~~la~~ rejoindre *la jeune fille*.

~~Guidée par le rapace,~~ Océane s'enfonça dans la pénombre, de plus en plus loin dans le champ de maïs dont les tiges se refermaient derrière elle, comme complices de son escapade nocturne. Elle se mit à courir ; la chouette ne la guidait plus, car Océane savait maintenant exactement où elle devait se rendre. Elle ~~courut~~ *galopa* ainsi pendant un quart d'heure, à travers boisés et ruisseaux, esquivant les branch~~ag~~es qui semblaient se courber devant elle.

Puis soudain, elle s'arrêta. Elle venait d'arriver et on l'attendait...

Qui ça, « on »?

Coudonc... elle aurait peut-être voulu l'écrire à ma place, tant qu'à y être?!

Deuxièmement, dans les cours de français, je continue à être sa cible préférée quand vient le temps d'obtenir une réponse de la classe... Je peux donc dire officiellement qu'il y a quelque chose qui cloche.

Non mais, c'est quoi son problème à madame Péloquin, sérieux? Est-ce qu'on a le droit, nous, les étudiants, de porter plainte pour harcèlement psychologique de la part d'un prof? Sûrement... Mais en même temps, j'en ai parlé avec Ana et, comme toujours, ma *best* s'est faite la voix de la raison. (Comme elle est dans le même cours que moi, elle est témoin de tout ce qui s'y passe et peut parler en connaissance de cause.) Elle m'assure que porter plainte serait plutôt extrême comme solution et que je devrais plutôt essayer de discuter (de me «quereller», serait-il plus juste de dire) avec notre prof de français...

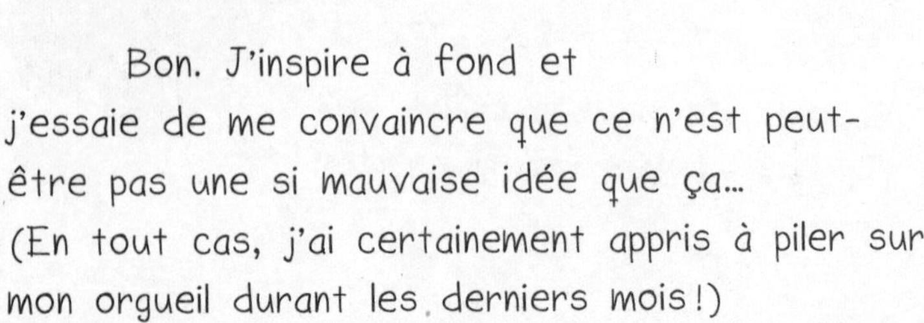

Bon. J'inspire à fond et j'essaie de me convaincre que ce n'est peut-être pas une si mauvaise idée que ça... (En tout cas, j'ai certainement appris à piler sur mon orgueil durant les derniers mois!)

J'essaie de considérer le tout d'un point de vue positif : j'ai une chance de me montrer comme étant la *bigger person*, autrement dit, la personne la plus mature et responsable des deux. Bon. Allez, je devrais le faire à mon prochain cours : j'affronterai mon « ennemie » vendredi. Ça fera drôle ; pour une fois, c'est moi qui dirai à ma prof après la fin d'un cours, « Est-ce que je peux vous voir une minute ? » !

Comme disent les anglophones: *It is on!*

J'ai parlé à madame Péloquin et, pour une fois, ma *best* a tiré dans le champ gauche pas à peu près! Ana était convaincue que discuter avec notre prof de français arrangerait les choses. Raté! Non seulement ç'a envenimé la situation, mais en plus, la guerre est maintenant déclarée entre elle et moi. Désormais, elle me pose des questions de plus en plus difficiles durant les cours et se montre contente quand elle me reprend; sans compter mes notes qui ont commencé à baisser...

63 %

Je t'ai enlevé 7 pts pour les temps de verbe (présent = peu recherché)

Texte expressif « Mes idoles », par Justine Perron

Pour moi, une idole ce n'est pas une personne que je vois en deux dimensions à la télévision ou dans une revue. C'est plutôt quelqu'un avec qui je peux échanger et qui m'incite à me dépasser. Je vais donc parler de la personne que j'admire le plus au monde : mon amie Anaé Kimura.

Répétitif

une amie ne peut être une idole -10 pts

Sous des dehors introvertis se cache un être sublime, talentueux et empli de sagesse. Quand je me trouve auprès d'Ana – ma best, comme j'aime l'appeler –, je me sens toujours apaisée par ses paroles réconfortantes et pleines de bon sens. Elle apporte de l'équilibre à mon univers, me fait sentir comme si j'étais capable de surmonter tous les obstacles qui se dressent devant moi. Je n'ai pas besoin de lui expliquer mes états d'âme ; elle sait instinctivement ce qui me trouble. Elle parvient, par sa seule présence, à enrayer mes ~~sautes~~ mouvements d'humeur. Je l'admire tant et j'aimerais moi aussi savoir faire preuve d'autant de perspicacité et de zénitude.

anglicisme

Tu as oublié de faire une comparaison... -10 pts

Ana a eu 88 % pour son texte.
Non pas que je trouve qu'elle ne mérite pas cette note, car elle est super intelligente, mais le français et la littérature sont MES domaines d'expertise, donc comment est-ce possible que j'aie à peine obtenu la note de passage ??

Toutefois, je n'ai pas parlé à qui que ce soit (même pas à Ana) de cette nouvelle situation «champ de bataille» et je n'ai pas l'intention de le faire non plus. C'est curieux, non? Je ne sais pas si c'est un sentiment normal ou quoi, mais j'ai plus envie de battre ma prof à son petit jeu que d'aller me plaindre au directeur comme je le souhaitais il y a deux jours.

Je vais donc étudier mon français quatre fois plus pour lui clouer le bec la prochaine fois qu'elle me posera une question. Je passerai la fin de semaine le nez dans mes livres, mais je m'en fous! Elle n'aura plus jamais la satisfaction de m'humilier en pleine classe! Ça sera mon tour! Gnyark nyark nyark! (Mon rire de méchante sorcière aurait besoin d'être perfectionné, je sais...)

Il s'agit de la première véritable fin de semaine sans papa...

Ça serait assez facile de ne pas y penser, puisqu'il lui arrivait souvent de faire du temps supplémentaire et de ne pas rentrer les samedis et dimanches, mais... Je ne sais pas... Maintenant que la raison de son absence a changé, je n'arrive pas à me défaire de ce sentiment d'abandon.

Il ne portait pas souvent d'eau de Cologne, mais il en mettait chaque fois qu'on sortait au restaurant. Il y a donc plein de beaux souvenirs rattachés à cette odeur-là!

J'entends d'ici ma grand-mère me dire: «Le temps peut tout arranger».

soupir

J'imagine effectivement qu'avec le temps, ça semblera moins pire...

En attendant, on doit faire face à une nouvelle réalité d'enfants de divorcés: nos parents nous laissent le choix, à Guillaume et à moi, du fonctionnement de la garde partagée... (Bref, il faut choisir entre papa et maman. C'est-y pas fantastique comme choix...)

AVEC MAMAN, POUR:

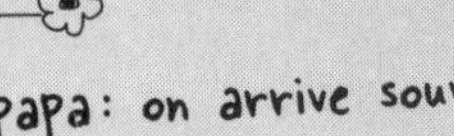

- Elle est moins ferme que papa: on arrive souvent à la faire changer d'avis.
- Elle est à la maison les fins de semaine et fait le lavage, le ménage, etc.
- Elle concocte de super bonnes crêpes.
- Elle a gardé la maison où j'ai grandi.
- C'est mieux de parler avec elle des «affaires de filles» qu'avec papa. (Enfin, le mieux, c'est de parler avec Ana, mais elle ne figure pas dans les options d'hébergement.)

AVEC MAMAN, CONTRE:

- Je me sentirais coupable de négliger papa.

- Maman fait moins de trucs *cool* avec nous (comme jouer dehors ou écouter la télé).
- Elle n'aime pas les animaux, alors on n'a pas le droit d'en avoir.
- À part les crêpes, elle est pourrie en cuisine.
- Elle « freake » pour un rien (la preuve : l'épisode du party chez Amandine).
- C'est la championne des « conversations matures » !...

Papa s'est déjà trouvé un petit logement à Saint-Moins-Creux avec deux chambres à coucher (donc, même moi qui ne suis pas très forte en maths, j'ai compris que deux chambres pour trois personnes – soit papa, Guillaume et bibi – signifie que mon frère et moi partagerons sûrement la même pièce si on choisit de rester avec lui... Yé... C'est comme si mon père prenait la décision pour moi, au fond ! Il doit bien se douter que la cohabitation entre Guillaume et moi s'avère impossible !) Malgré tout, je considère qu'il ne peut pas y avoir de solution gagnante et je ne peux m'empêcher d'y (sur-)réfléchir.

AVEC PAPA, POUR :

- Il nous emmènerait sûrement souvent dans son univers musical hyper *cool* (on pourrait même rencontrer des célébrités, un jour !)
- Il est plus permissif que maman sur bien des affaires (genre les heures de coucher et de sortie).
- Il aime les animaux, alors on pourrait sans doute le convaincre d'avoir un chien !
- Il cuisine de l'excellente bouffe !

AVEC PAPA, CONTRE :

- Je me sentirais coupable de négliger maman.
- On se retrouverait sûrement à partager la même chambre, Guillaume et moi.
- Il reste à Saint-Moins-Creux alors qu'Ana demeure à Saint-Creux. (Bon, ce n'est pas la fin du monde ; elle serait à, genre, quarante minutes de marche au lieu de cinq, mais quand même !)
- Papa est beaucoup plus ferme que maman : quand il dit non, c'est non !
- Les problèmes de filles, il ne comprend pas ça.

Par exemple, comment mon père se sentira-t-il si Guillaume et moi choisissons tous les deux maman? Et, à l'inverse, comment notre mère réagira-t-elle si nous choisissons papa? À moins qu'on se partage la garde des parents... Mais je fais quoi, alors? J'attends que Guillaume se décide et je prends le parent qui reste?! Ou bien on alterne?

Honnêtement, ça me met en beau «joual vert» (vieux sacre de mon père que je trouve assez poli pour être écrit dans mon journal et dont l'usage ici me semble approprié)...

JURONS POLITICO-CORRECTS
selon Justine

Viarge (pour ceux qui veulent ajouter un air d'antan à leurs blasphèmes)

Maudine (c'est vraiment proche du mot «maudit», mais ça ne passe pas le test auprès de tous les adultes)

Câline de bine (ça me rappelle toujours la chanson d'Offenbach *Câline de blues*)

Soda de soda (ça ne fait pas très fâché, par contre)

Torbinouche (voilà une variante très éloignée du sacre original. Moi, j'aime bien risquer un « tabarnouche », des fois...)

Mille milliards de mille millions de mille sabords (ça fait pas très naturel, mais la référence au capitaine Haddock détend l'atmosphère à tout coup)

Baptême! Chocolat! Citron! (« Sacres » très propres, empruntés à des émissions de télé ou des livres.)

Bonyenne! Verrat! Batèche! Son of a gun! (mon grand-père disait ça!)

En tout cas, comme on n'est pas encore trop fixés (et que papa vit, pour le moment, dans les boîtes qu'il a rapportées d'ici pendant que Guillaume et moi étions à l'école), on est restés avec maman cette fin de semaine-ci, mais papa est venu nous chercher le matin et nous a ramenés le soir durant ces deux jours.

Un morceaux de l'ameublement temporaire de papa.

Le divorce, ç'a ses bons côtés aussi: mon père fait *full* d'efforts pour qu'on passe du bon temps ensemble alors que, quand il vivait avec nous, il s'absentait souvent et, les rares fois où il restait à la maison pendant le week-end, il «fouèrait» au salon ou «bidouillait» dans le jardin. C'est donc le *fun* de profiter de la présence de notre père (même si je me dis que c'est temporaire et que le naturel ne tardera pas à reprendre le dessus).

Hier (samedi), papa nous a emmenés skier au Relais. Mon frère et moi n'avions jamais fait de ski alpin de notre vie! (Et mon père n'était pas très bon non plus.) C'était vraiment drôle. Des fois, l'instructeur semblait découragé (surtout de Guillaume, car si mon frère possède une bonne coordination au niveau des doigts grâce aux jeux vidéo, il est pourri avec ses pieds! Et en plus, il avait hyper insisté pour faire du *snowboard* plutôt que du ski). Moi, j'essayais juste de ne pas avoir l'air trop folle; j'en ai assez des humiliations... Et puis, pour ne rien arranger, le moniteur était super beau, style Joey Scarpellino. Ce n'est pas que je me magasine déjà un nouveau *chum* – après Raphaël, je prendrais bien un *break* d'une décennie ou deux –, mais une fille a des yeux! Et un orgueil! Alors, on se concentre, Justine, et on ne s'étale pas sur le ventre!

Je ne me suis pas trop fait honte (première nouvelle!) et j'ai eu beaucoup plus de *fun* que je croyais pouvoir en avoir avec mon père et mon frère en pratiquant un sport - d'hiver, de ~~sur-croix~~ ~~sur croie~~ ~~surcroi~~ surcroît! (Ayoye! Madame Beauchemin m'aurait sûrement donné des points en plus dans mon bulletin juste pour avoir recherché et utilisé ce mot-là! Quand est-ce qu'elle revient...? Il faudra que je me renseigne.)

Aujourd'hui (dimanche), papa nous a emmenés à Québec et, grâce à ses contacts, nous avons pu assister à une répétition/*sound check* d'un groupe punk canadien dont j'ai oublié le nom... (Idiote!) J'ai aimé plusieurs de leurs chansons, et c'était agréable de partager un peu la passion de notre père (enfin, je parle pour moi... parce que mon frère était bien trop occupé à jouer sur son PSP pour prêter attention à l'animation autour!) J'ai tout mis en œuvre pour que mon père ne souffre pas du comportement blasé de Guillaume, alors je me suis intéressée à tout à la puissance mille! Je n'avais même pas à faire semblant; c'était vraiment très *nice* de voir tout le monde qui fourmille autour d'un *band*! J'avais déjà eu un avant-goût avec Imprecatio, mais là, c'était une coche au-dessus! La renommée internationale de ce groupe date de plusieurs années! (Merde, c'est quoi leur ***** de nom?! Ça me tue! Tsé, ils jouent la toune dont les paroles sont «*Forever with you / Holding you / Lying in your arms / Na na na na*»... En tout cas, ça sonne de même... Ah, pis tant pis!) Après, on est allés souper dans un resto de pâtes absolument débile (dont j'ai oublié le nom aussi... Bravo, Justine! Faudrait peut-être que je commence à faire des exercices de mémoire, comme ma mère...)

Oh oh, est-ce que mon père commencerait déjà à nous donner du «lousse»? Il ne me laisse habituellement pas commander de boisson gazeuse, et voilà que ça ne semblait poser aucun problème hier soir au resto... Je crois que je vais tester ces frontières-là davantage!

Honnêtement, j'ai failli demander au serveur une deuxième assiettée, mais je me suis retenue (de toute façon, j'étais tellement pleine que si j'en avais mangé plus, ç'aurait débordé!)

Anyway, avec tout ça, il est facile de comprendre que je n'ai PAS passé le week-end le nez dans mes livres, comme prévu... Et je n'ai PAS travaillé à L'Évasion non plus... J'ai bien téléphoné à Érik pour le prévenir, et il avait l'air de comprendre, mais quand même! J'avais l'impression de négliger mes obligations même si, officiellement, je ne travaille pas à la librairie. Érik m'a dit que mon coin «vacances» avait attiré quelques personnes et il m'a félicitée pour mon travail. ☺ J'étais vraiment contente, sauf que je me suis sentie triste en raccrochant. Mon cœur était serré, comme si je ratais quelque chose. C'est un drôle de sentiment, s'ennuyer de son travail à mon âge! Ça augure bien pour l'avenir!

Donc, voilà. Avec tout ça, nous sommes déjà dimanche soir. Demain = retour à l'école pour entamer la deuxième semaine de cours depuis le début de l'année (pas de cours de français, mais

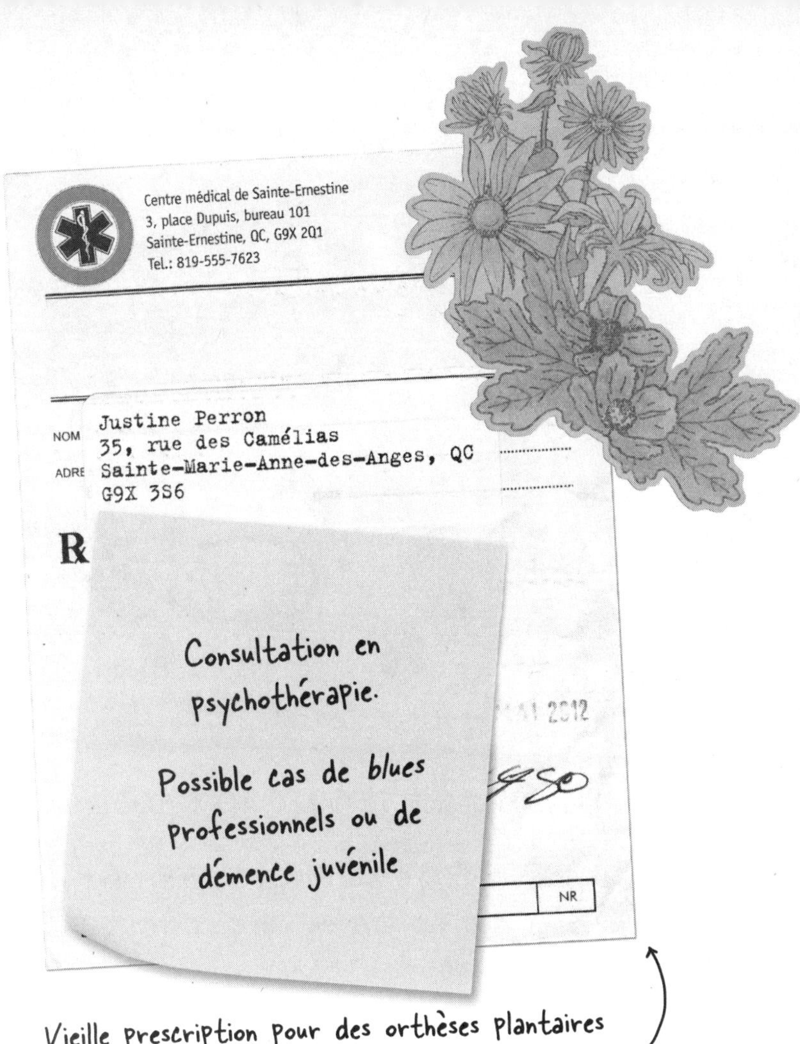
Centre médical de Sainte-Ernestine
3, place Dupuis, bureau 101
Sainte-Ernestine, QC, G9X 2Q1
Tel.: 819-555-7623

NOM Justine Perron
ADRE 35, rue des Camélias
Sainte-Marie-Anne-des-Anges, QC
G9X 3S6

℞

Consultation en psychothérapie.

Possible cas de blues professionnels ou de démence juvénile

NR

Vieille prescription pour des orthèses plantaires que mes parents n'ont jamais cru bon d'utiliser.

un cours de maths avec le couple «bécoteux» de l'année (alias Raphaël et Mérédith) et une rencontre avec les gens du journal sur l'heure du dîner...)
On va essayer de passer à travers la journée sans trop se faire mal...

Argh!!!

Pfff!!!

GRRRR!!!!

KMFLGFLRT!!!

*&/?%!€¶&%§ X 1 000 000 000 000!!!

JKRFGPTL!!!! Je m'étrangle littéralement de rage, là!!! Sérieux, j'essaie de ne détester personne dans ma vie, mais là, faut avouer que dernièrement, ce n'est vraiment pas évident!! D'abord, tous ces imbéciles (dont Daphnée, Mérédith et Raphaël), et là, madame Péloquin!! Me semble que mes raisons sont bonnes, que ma haine est justifiée, hein? C'est quoi le problème avec l'Univers?

Trou noir droit devant!

Y'a un quota de cons-à-mettre-sur-ma-route à respecter ou quoi?! Il est où, le renouveau proclamé par le jeu de tarots d'Ana?

inspire *expire* *inspire* *expire* Relaxe, Justine! Sois zen. Ce n'est pas ta faute si ces gens-là sont méchants...

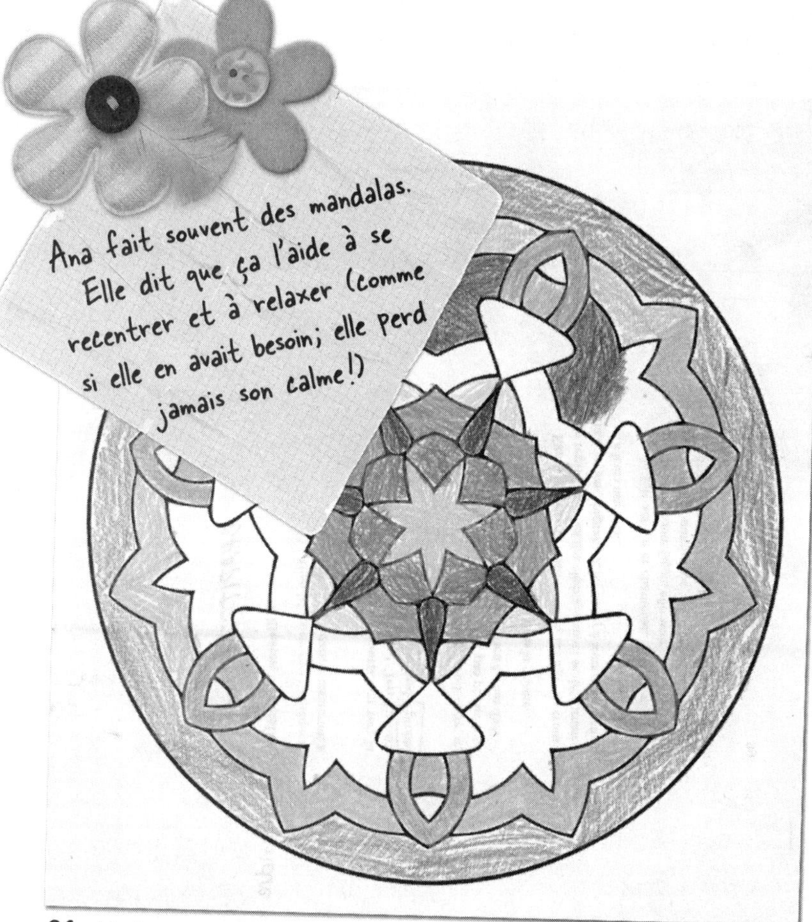

Ana fait souvent des mandalas.
Elle dit que ça l'aide à se recentrer et à relaxer (comme si elle en avait besoin; elle perd jamais son calme!)

Résultat pour bibi: perte de temps to-ta-le! Je suis encore furieuse et zéro zen!)

Selon mon père, rien n'arrive pour rien dans la vie... Je dois peut-être tirer quelque chose de cette situation/épreuve (ayoye! Alerte: poussée de maturité!)

Bon. Alors... Essayons de voir plus clair dans ce fatras (mot emprunté à ma grand-mère maternelle que j'adore. Ben, c'est ma grand-mère que j'adore, là, pas le mot... Et puis, le mot aussi, finalement... En tout cas...)

Comme tout le monde, je déteste les lundis, et je me traînais donc les pieds aujourd'hui. J'étais bougonne, à l'image du reste de la gent estudiantine (c'est drôle comme expression, hein? Je l'ai lue dans un roman il y a quelques semaines), et les profs aussi semblaient moroses. (Vive janvier...) Bref, tout semblait plus ou moins normal, jusqu'à l'heure du dîner où j'avais une réunion avec l'équipe du journal...

Quand je suis arrivée au local, tout le monde y était, y compris madame Péloquin. Pendant le brouhaha du début, je me suis discrètement penchée vers Coralie pour lui adresser un gros roulement d'yeux en désignant la prof du menton, comme pour dire: «C'est donc poche qu'elle soit là, elle!»

Coralie a haussé les épaules, comme si la présence de madame Péloquin ne lui causait aucun inconvénient. Elle n'a pas ce prof en français, c'est clair! On a donc commencé la réunion comme d'habitude. Tout le monde notait consciencieusement les tâches qui leur étaient dévolues pour les prochaines semaines. Émilie ne cessait de se tourner vers madame Péloquin pour obtenir son soutien, et celle-ci hochait la tête de manière décisive. Il n'y avait plus de doute, maintenant: madame Péloquin voulait prendre en charge la direction du journal étudiant et remplacer madame Beauchemin dans toutes ses tâches, y compris ses activités de bénévolat récréatives! *Get a life!*

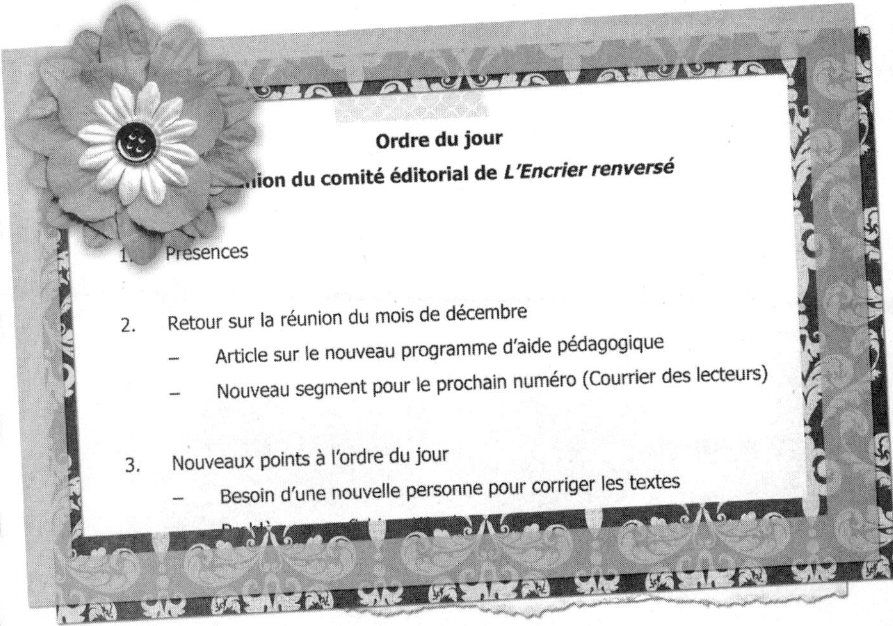

Ordre du jour

…union du comité éditorial de *L'Encrier renversé*

1. Présences

2. Retour sur la réunion du mois de décembre
   - Article sur le nouveau programme d'aide pédagogique
   - Nouveau segment pour le prochain numéro (Courrier des lecteurs)

3. Nouveaux points à l'ordre du jour
   - Besoin d'une nouvelle personne pour corriger les textes

Arrivés à la section « Varia », madame Péloquin s'est interposée :

— Je propose que l'on abolisse la publication du feuilleton.

— QUOI ? ai-je explosé malgré moi.

Les autres membres de l'équipe ont eu l'air aussi surpris que moi.

— J'ai pris la peine de lire plusieurs numéros du journal avant d'en arriver à cette conclusion. *L'Encrier renversé* est un outil de communication pour le corps professoral et les étudiants, et il ne doit pas être dénaturé par des textes pseudo littéraires sans caractère informatif.

« Pseudo » ?! Le mot m'a fait l'effet d'une véritable gifle au visage. Mais j'ai retenu les insultes qui se formaient dans ma tête et j'ai plutôt laissé mes collègues prendre ma défense.

— Mais il y a beaucoup de contenu divertissant dans le journal, c'est ce qui fait sa popularité ! s'est insurgé Sébastien. D'ailleurs, on a eu pas mal de commentaires positifs au sujet du feuilleton, et un très grand nombre d'élèves le lisent à présent !

(Merci, Sébastien. Je te serai éternellement reconnaissante de ton soutien!)

— Je regrette, mais le directeur a été formel sur ce point: le journal a été créé pour diffuser de l'information et n'a jamais eu de vocation artistique, a martelé madame Péloquin.

— Je ne comprends pas, s'est désolée Émilie. Le feuilleton était une idée de madame Beauchemin, alors on ne croyait pas aller à l'encontre de...

— Madame Beauchemin était nouvelle dans cet établissement, a coupé ma prof, et n'avait pas consulté la direction avant de prendre cette décision. Heureusement, je suis ici maintenant et je peux corriger la situation.

Coralie s'est raclée la gorge, inquiète, et s'est informée avec une petite voix de souris:

— Mais, alors, les sudokus, les grilles de mots fléchés... Est-ce qu'ils entrent dans la catégorie des divertissements eux aussi?

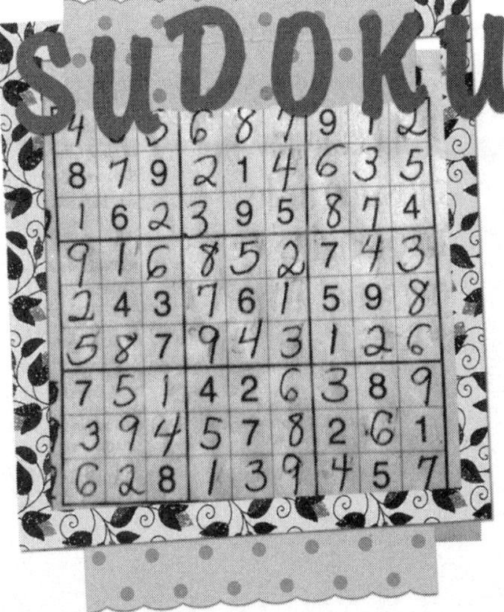

Des sudokus, c'est super bon pour le mental, ça garde le cerveau en forme! On va les bannir sous prétexte que c'est amusant??

Pendant un instant, madame Péloquin a semblé hésiter, comme prise à son propre piège. Elle a finalement tranché :

— Les sudokus peuvent rester, je suppose, puisque ce sont de bons exercices cérébrals.

« On dit "cérébraux" », ai-je marmonné dans ma barbe.

— Ils ne sont pas totalement futiles, a poursuivi ma prof en me jetant un coup d'œil.

Tous les regards consternés de mes camarades ont convergé vers moi. La dernière insulte m'était restée en travers de la gorge, et j'étais littéralement en train de m'étouffer, incapable de me défendre. Je commençais sûrement à virer au bleu, car Judith a pressé sa main sur mon avant-bras, comme pour me demander si ça allait. J'ai juste discrètement hoché la tête.

Émilie a rompu le silence pesant qui régnait :

— Puisque c'est comme ça... Nous devrons nous rencontrer d'urgence afin de réorienter le contenu du prochain numéro. Êtes-vous disponibles cet après-midi, pendant la période d'étude?

— Je regrette, j'ai une réunion des professeurs ce soir, s'est excusée la principale responsable de tout ce branle-bas de combat.

— Si le feuilleton ne doit plus paraître, je n'ai pas réellement de raison d'être présente, ai-je tenté.

— Non, non! m'a aussitôt rassurée Émilie. On te trouvera quelque chose; pas question qu'on perde une collaboratrice. Tu *dois* venir, a-t-elle insisté avec emphase, comme si elle souhaitait passer un message subtil.

— Bon, ai-je capitulé avec un air faussement désinvolte, si tu y tiens.

— Parfait! s'est réjouie Émilie. À ce soir, alors!

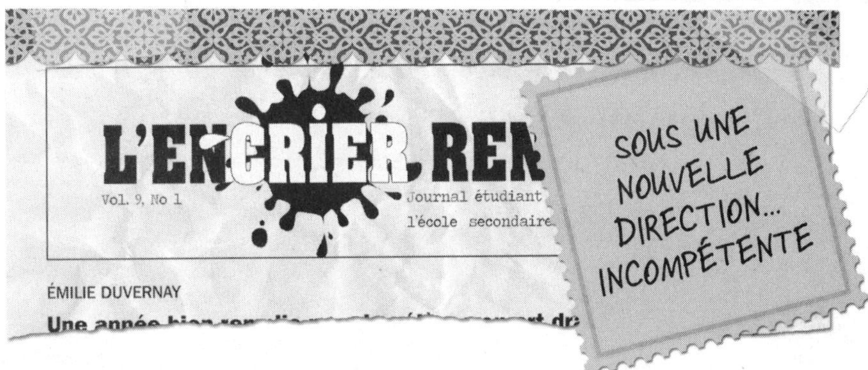

L'ENCRIER REN
Vol. 9, No 1
Journal étudiant
l'école secondaire
ÉMILIE DUVERNAY
SOUS UNE NOUVELLE DIRECTION... INCOMPÉTENTE

Tout le monde a ramassé ses affaires. L'air semblait chargé d'électricité, et je me sentais au milieu d'un moment historique. Le message d'Émilie était clair: nous n'avions pas dit notre dernier mot!

Ça m'a fait du bien de voir que mes collègues prenaient ceci comme un affront à leur travail, et que personne ne semblait remettre en cause la qualité de mes écrits. C'est sûr que, s'ils avaient été dans mon cours de français, ils auraient tout de suite compris que la décision de madame Péloquin avait moins à voir avec «la vocation première du journal», et davantage avec le fait qu'elle semble m'avoir prise en aversion pour une raison que j'ignore encore. (Je lis peut-être trop d'histoires qui me font souvent tomber dans le drame, mais est-ce que ça se pourrait que madame Péloquin soit allée à l'école avec mon père ou ma mère, qu'un des deux se soit montré méchant avec elle, et qu'elle ait décidé de se venger sur moi? À vérifier!)

*

Pendant la période d'étude, l'équipe s'est donc rencontrée au local du journal afin de faire le point sur la situation. Personne ne voulait me croire quand je disais que madame Péloquin m'en voulait personnellement et souhaitait mon départ, mais tous étaient toutefois d'accord sur deux choses:
1) madame Péloquin est une folle enragée;
2) pas question que le journal devienne un vulgaire bulletin d'informations.

— C'est quoi notre plan de match? s'est enquis Justin, inquiet de perdre sa place lui aussi dans le journal si la photographie venait à être bannie de la publication.

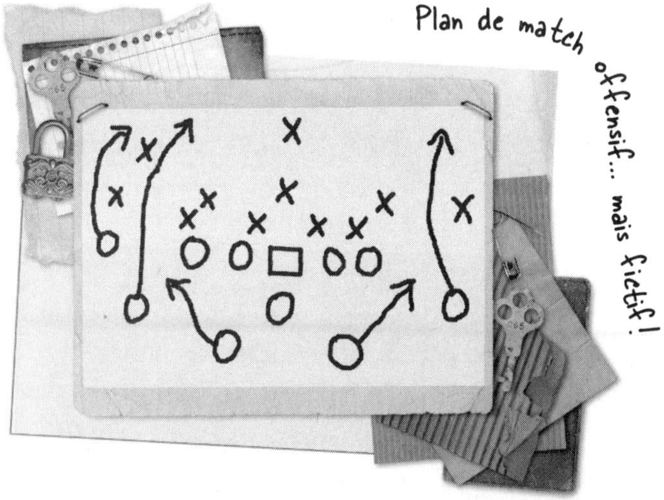
Plan de match offensif... mais fictif!

Tout le monde s'est immédiatement mis à parler en même temps.

— On pourrait s'en plaindre à la direction!

— Peut-être que si on faisait circuler une pétition...

— Pfff! On l'ignore tout bonnement et on continue comme avant!

— Je persiste à croire que, si je me désiste, tout rentrera dans l'ordre... ai-je ajouté bravement.

Émilie a alors agité les mains dans les airs pour obtenir notre attention et notre silence. La mine soucieuse, elle a proposé:

— Et si on faisait plutôt ce que nous faisons le mieux...?

— C'est-à-dire? a tenté de comprendre Sébastien.

— Tu parles d'en faire le sujet du prochain numéro du journal? ai-je demandé, ayant tout de suite saisi.

— Exactement! m'a confirmé Émilie. Sébastien, tu te chargerais de rédiger un article au sujet de la réorientation du journal. Ce faisant, Chrystelle pourrait en profiter pour recueillir des potins et tâter le pouls des étudiants, faisant ainsi office de sondage. J'irais pour ma part interviewer le directeur afin d'aller à la source du problème. Madame Péloquin veut de l'information brute? Elle en aura: une vraie enquête journalistique, impartiale

et détaillée, qui renseignera les gens... tout en les ralliant à notre cause!

— Génial! se sont enthousiasmés les membres de l'équipe.

— Je pourrais faire des mots croisés et cachés en lien avec la situation, a suggéré Coralie. Avec des mots, genre: «Journal», «Étudiant», «Réorientation»... et pourquoi pas aussi «Mesquine», «Saboteuse», «Fauteuse de troubles», etc.

Son exagération a fait rigoler Sébastien.

— Tu t'en sens capable? a demandé, plus sérieusement, l'éditrice en chef.

— Pfff! Y'a rien là!

— OK, mais pas d'attaques personnelles. Je ne veux pas d'insultes dans le journal, d'accord?

— D'accord, d'accord, a répondu Coralie dans un demi-sourire.

— Moi, j'ai envie de rédiger un article sur l'influence qu'ont les sections «Divertissement» des différents journaux du monde, a lancé Didier.

— Excellente idée! a approuvé Émilie.

— Et moi? Veux-tu que je fasse une recherche sur madame Péloquin? Son passé et comment elle s'est retrouvée ici? a proposé Judith. Je parierais qu'elle a plus d'un squelette dans son placard, elle...

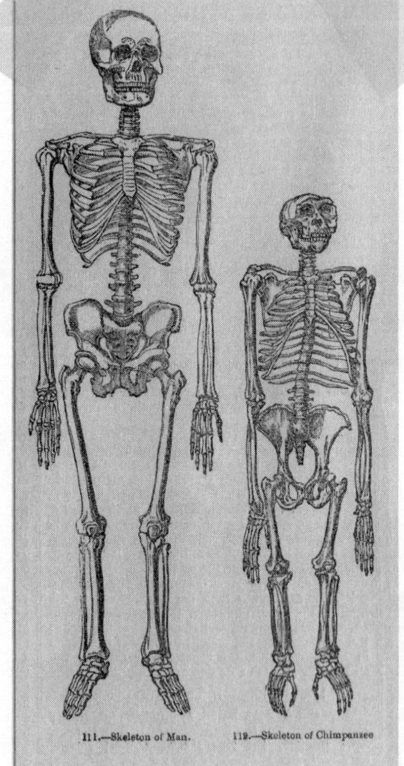

111.—Skeleton of Man.
112.—Skeleton of Chimpanzee

— Hmm, ça pourrait prendre des airs de vengeance, s'est interposée notre «chef». À la place, pourquoi ne pas aider Didier dans sa recherche?

Judith a accepté la proposition. Émilie s'est ensuite tournée vers moi.

— Justine, continue à rédiger le feuilleton. Nous n'en mettrons pas dans le prochain numéro - afin de montrer à tous de quoi aurait l'air le «nouveau» journal - mais d'après moi, nous pourrons reprendre la publication du feuilleton dès le numéro suivant!

— D'accord!

— Parfait! Commençons tous notre travail dès ce soir afin de pouvoir respecter la date de tombée de lundi prochain!

*

Après notre réunion (ou je devrais plutôt dire «notre mutinerie»), j'ai quitté le local du journal le cœur vraiment léger. Même si mes relations avec madame Péloquin devenaient de plus en plus empoisonnées, je sentais que j'avais au moins le soutien de ma *gang* de *L'Encrier renversé*.

Même si Émilie a refusé la suggestion de Judith, je trouvais intéressante l'idée d'une recherche sur madame Péloquin... Je suis donc rentrée à la maison et j'ai sauté sur l'ordi afin d'interroger Google sur ma prof de français. On ne sait jamais ce qu'on peut trouver sur le Net...

Et la découverte que j'y ai faite... *Oh boy*!

ACCUEIL | CRITIQUES LIVRES | INDEX | CONTACT

Critiblogue

Blogue de critiques de livres

***Marguerite et Jean*, par Béatrice Péloquin**

☆ – THIERRY HALPERT

Une prémisse qui déçoit

Au départ, tout nous laissait présager une lecture agréable. Le texte à l'endos de la couverture annonçait que l'histoire, se déroulant dans une petite banlieue de la grande ville au début du XXe siècle, était centrée sur la vie de deux familles pauvres dont les enfants avaient l'interdiction de jouer ensemble en raison d'une querelle qui perdurait depuis des lustres. S'est ensuivie une histoire d'amour délavée, à la sauce trop souvent diluée, car calquée sur l'éternel classique de Shakespeare Roméo et Juliette. La toile de fond, quoique différente, était cependant remplie de trous et d'anachronismes embêtants (les enfants mangeaient du brocoli pour le souper, alors qu'on sait que ce légume a été introduit au Québec après la Deuxième Guerre mondiale – et ce détail était de surcroît de trop; dans une histoire passionnelle, qui donc se soucie des crudités qui accompagnent le repas?

Lecture en cours

Suivez-moi :

OK, ce livre semble franchement mauvais… Ma prof est vraiment une auteure ratée et frustrée, et il m'apparaît clair maintenant qu'elle se venge sur moi, genre: «Si je n'ai pas pu percer dans le domaine, personne d'autre ne le pourra! Gnyark nyark nyark!»…

Rire de sorcière méchante, ne l'oublions pas…

C'est clair, je suis inadéquatement équipée pour me battre contre ma prof de français. Chaque fois que j'essaie de l'affronter, elle se rebiffe et me flanque une raclée (métaphorique) dont il me faut plusieurs heures pour me remettre. Elle connaît trop de choses et sait exactement QUAND délivrer le *punch* qui fait mal.

Par exemple: lors du dernier cours, on parlait des lectures qui nous avaient marqués. À mon tour, j'ai dit que j'avais été très impressionnée par l'histoire de *Hunger Games*, que je trouvais très originale. Je me sentais hyper fière d'avoir été capable d'aligner deux mots en public sans ressentir l'envie de vomir, mais ça n'a pas duré, car j'ai remarqué que madame Péloquin roulait des yeux.

— Outre le fait qu'il s'agit d'un roman contemporain sans grande valeur littéraire, a-t-elle sifflé, *Hunger Games* s'avère de plus une mièvre version américanisée du manga *Battle Royale,* sorti au Japon il y a une dizaine d'années. Quelqu'un d'autre a-t-il quelque chose de plus pertinent à proposer ?

La colère m'est montée aux joues, mais elle a été rapidement remplacée par la honte quand j'ai entendu des élèves rigoler dans mon dos. J'étais tellement mortifiée que j'aurais pu ramper sous mon pupitre... Ça m'apprendra à participer en classe !

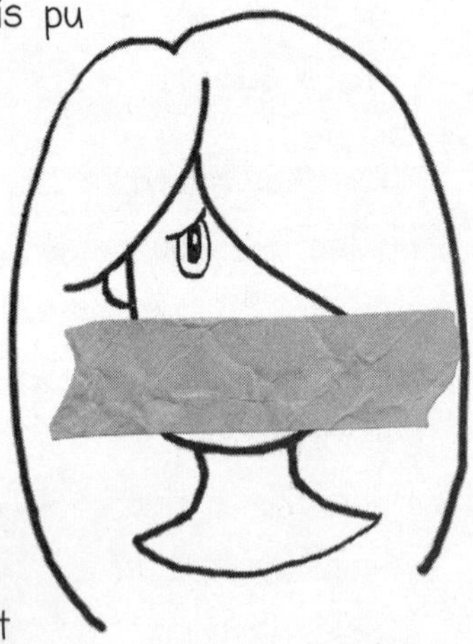

Après le cours, Ana (une véritable encyclopédie « mangaesque ») s'en est donné à cœur joie pour démentir la prof et expliquer comment celle-ci avait eu tort de me reprendre sur ce sujet :

— Il y a beaucoup de débats là-dessus, mais c'est vrai qu'il y a des ressemblances entre les deux histoires... Par exemple, dans *Battle Royale,* il existe le « programme » dans lequel des jeunes choisis au hasard sont forcés de se battre entre eux jusqu'à ce qu'il n'en reste plus qu'un, mais le traitement du sujet n'est pas le même !

Elle a continué à déblatérer sur la forme et l'interprétation des deux récits, mais je ne l'écoutais déjà plus; j'étais davantage humiliée de savoir que ma prof avait visé juste, encore une fois! De plus, je me sentais légèrement en colère contre Ana... Pourquoi ne m'avait-elle jamais parlé de *Battle Royale* avant aujourd'hui alors que, récemment, je lui avais vanté la brillance de *Hunger Games*? Elle – LA grande *fan* de mangas – n'avait jamais cru bon de m'informer de cette ressemblance, et pourtant nous échangeons toujours sur nos plus récentes lectures!

Bon, j'avoue qu'un vieux truc publié en 1999 comme *Battle Royale*, elle ne considère peut-être pas que c'est d'actualité et donc digne d'être partagé... Mais quand même!

soupir Je crois que je vais juste déclarer forfait...

(film) - Wikipédia http://fr.wikipedia.org/wiki/Battle_R (film)

Battle Royale (film)

Battle Royale (バトル・ロワイアル, *Batoru rowaiaru*?) est un film japonais réalisé par Kinji Fukasaku (深作 欣二, Fukasaku Kinji), sorti en 2000.

Ce dernier est particulièrement connu pour sa série de films *Combat sans code d'honneur* (仁義なき戦い, *Jingi naki tatakai*) qui, dans les années 1970, ont révolutionné le film de genre yakuza de par leur démonstration de l'ultra-violence et de la perte des valeurs morales du milieu.

Kinji Fukasaku était donc tout indiqué pour se charger de l'adaptation du roman du même nom de Kōshun Takami (高見広春, Takami Kōshun), paru en 1999 et fort d'un énorme succès commercial — une qualité qui ne sera pas démentie par cette adaptation ainsi que par le manga.

Battle Royale	
Titre original	バトル・ロワイアル, *Batoru rowaiaru*
Réalisation	Kinji Fukasaku (深作 欣二, Fukasaku Kinji)
Scénario	**Roman** Koushun Takami (高見 広春, Takami Kōshun) **Adaptation** Kenta Fukasaku (深作 健太, Fukasaku Kenta)
Acteurs principaux	Tatsuya Fujiwara (藤原 竜也, Fujiwara Tatsuya) … Maeda

… classe de troisième, tirée au sort, est envoyée chaque année lors du traditionnel voyage scolaire dans un lieu isolé (une île en l'occurrence), où les élèves doivent s'entretuer, et ce durant trois jours. Il ne doit rester qu'un survivant — faute de quoi les colliers dont sont munis les joueurs explosent — qui pourra rentrer chez lui à l'issue du jeu.

La classe de 3^e^B du collège municipal de Shiroiwa, qui a « l'honneur » de combattre cette année, perd déjà deux des siens d'entrée de jeu alors que leur ancien professeur, portant le nom de Kitano キタノ (interprété par Takeshi Kitano), leur explique les règles. Chaque élève est ensuite lâché dans l'île avec son affect et l'obligation de rapidement prendre une décision quant à la suite des évènements : survivre seul, essayer de s'unir aux autres pour trouver une solution, tuer pour être le dernier ou tout simplement se suicider.

Pour corser le jeu, les organisateurs ont inclus deux joueurs qui ne font pas partie de la classe : le gagnant du Battle Royale d'il y a trois ans, Shôgo Kawada, qui s'est fait à nouveau enlever et est bien décidé à survivre, et Kazuo Kiriyama, dit Le Volontaire, qui s'est inscrit à Battle Royale dans le seul but de s'amuser.

1 sur 6 15:45

Non pas que j'avais des doutes,
mais je ne voulais tellement pas que ma prof ait raison
que je n'ai pas pu m'empêcher de contre-vérifier.

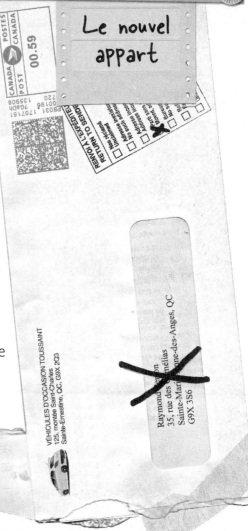

Le nouvel appart

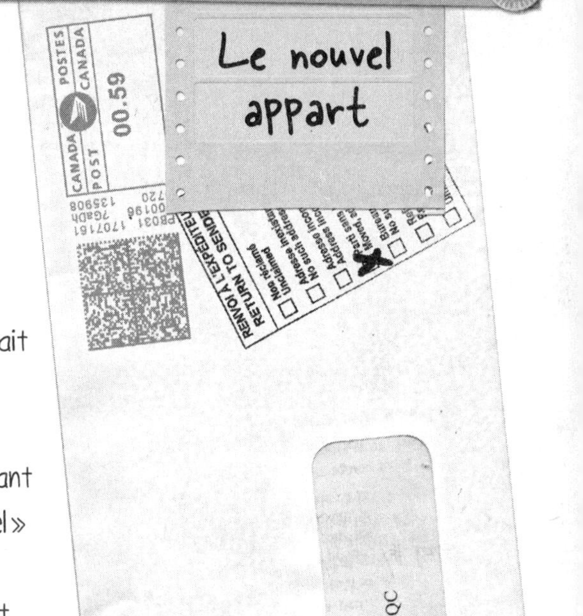

Le week-end dernier, papa est venu nous chercher pour nous faire visiter son nouvel appart (il avait refusé de le faire la fin de semaine précédente, soi-disant à cause du «bordel» qui y régnait, mais maintenant qu'il avait enfin terminé de vider tous ses cartons et de s'installer, il voulait plus que tout nous montrer son nouveau repaire).

Papa déteste qu'on l'appelle Raymond. Il dit toujours que son nom, c'est Ray. Je trouve ça plus cool aussi.

L'appartement est joli et bien situé, sur une rue tranquille juste derrière la 1re Avenue à Saint-Moins-Creux (qui est comme notre rue Principale à Saint-Creux, mais, genre, cinq fois plus grande!) L'endroit s'avère donc paisible, sans pour autant « se retrouver à mille bornes du dépanneur le plus proche » (paroles de mon paternel. Je ne sais même pas ce que c'est qu'une « borne » comme unité de mesure! S'agit-il de la distance entre deux bornes-fontaines?)

« Mille bornes » : Peut-être que ça vient de ce jeu auquel mon père nous a forcé à jouer une fois!

Cependant, je n'avais jamais remarqué avant aujourd'hui à quel point mon père n'a pas de goût!!! Il a acheté (en brocante, sûrement) tout plein de meubles usagés qui ne *fittent* pas du tout ensemble: un vieux canapé en tissu bleu royal décoré de petites lignes jaunes; un fauteuil en cuir

Bois ou plastique? Cliché de la surface du meuble cheap dans la cuisine.

noir; une table à café Ikea en contreplaqué de chêne; un *set* de table en je-ne-sais-pas-quoi-qui-ressemble-à-du-plastique-blanc; un vaisselier antique qui doit dater de la guerre; etc.

Plus vieux que ça!

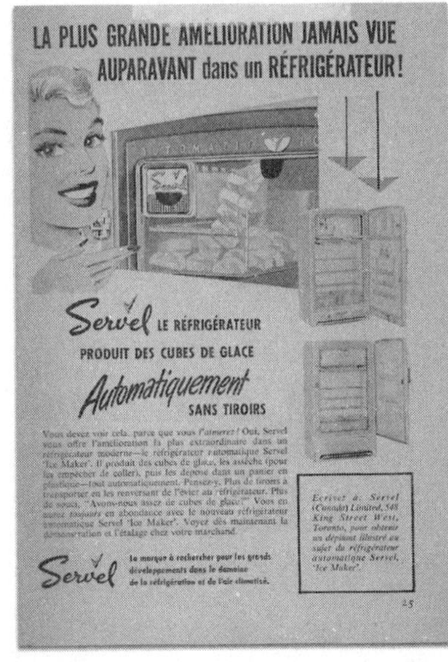

Dans notre «chambre», à Guillaume et à moi, se trouvaient deux lits jumeaux accotés contre les murs et séparés par une unique table de chevet que nous devrons apparemment partager (je n'ai pas dormi dans un lit jumeau depuis, genre, cinq ans!) La pièce comportait une seule garde-robe, pas de commode ni aucun autre meuble, juste une fenêtre au-dessus de la table de nuit qui donnait sur le stationnement de l'immeuble. C'était honnêtement tristounet, voire carrément déprimant. Or, la chose qui m'a le plus frappée, c'est le talent surdéveloppé de mon père pour comprendre sa fille (*not!*): le lit de mon frère était recouvert d'un édredon de World of Warcraft trop *gore* que Guillaume a qualifié «d'écœurant», tandis que le mien arborait une couette rose barbe-à-papa garnie de fleurs jaunes délavées! Et comme cadeaux de bienvenue, sur le lit de Guillaume reposait une armée de G.I. Joe avec une camionnette militaire et un char d'assaut, alors que sur le mien m'attendait un ourson géant (je viens pourtant tout juste de redécorer ma chambre et de me débarrasser de presque tous mes toutous! Allô ????)

Trop cu-cul!

5 CHOSES DE FILLES QUE JE DÉTESTE

1) Les chihuahuas de sacoche (pas capaaaable! C'est pas un accessoire de mode, c'est un chien!)

2) Les talons aiguilles tellement effilés qu'ils doivent se coincer dans les craques de trottoirs!

3) Le rouge à lèvres rouge-sang-de-vampire ou bleu-pas-rapport...

4) Les leggings et les jeans skinny (beaucoup trop révélateurs pour moi!)

5) Les mini-sacoches dans lesquelles un téléphone cellulaire ne rentre même pas. (À quoi ça sert, sérieux?!)

Pourtant, je croyais que mon père connaissait mes goûts! Il *sait* à quel point j'adore ce qui est gothique et un peu marginal (*Dexter*, *Monster High*, *La Famille Addams*, etc.) Il a dû sentir ma déception, car il s'est empressé de me dire:

— Lutine, ton coin, c'est juste temporaire. C'est un vieil édredon que j'ai emprunté à quelqu'un seulement pour la présentation, mais je te promets que, quand tu viendras dormir ici pour la première fois en fin de semaine prochaine (ah bon?! Première nouvelle!), tu auras une jolie surprise! C'est juste que... je l'ai commandée par Internet et elle n'est pas encore arrivée. Ça devrait m'être livré cette semaine.

Bon, je ne lui ai pas «renoté» le «dormir ici en fin de semaine prochaine»; j'étais déjà plutôt contente qu'il lise dans mes pensées sans que j'aie à lui manifester ma déception, alors je lui ai juste souri et je l'ai pris dans mes bras. (Je me suis alors rendue compte d'une chose: c'est fou comme il me manque et, pourtant, on le voit plus souvent maintenant... Je suppose que j'ai encore besoin de m'habituer.)

Côté déco, l'appart était vierge de tout bibelot et autres ramasse-poussières. Et il n'y avait rien - mais alors là VRAIMENT rien - sur les murs! Pas de cadres, pas de rideaux, que de la peinture blanche. Ça faisait un peu «hôpital»... S'il y avait eu une forte odeur de désinfectant, on se serait cru à l'urgence!

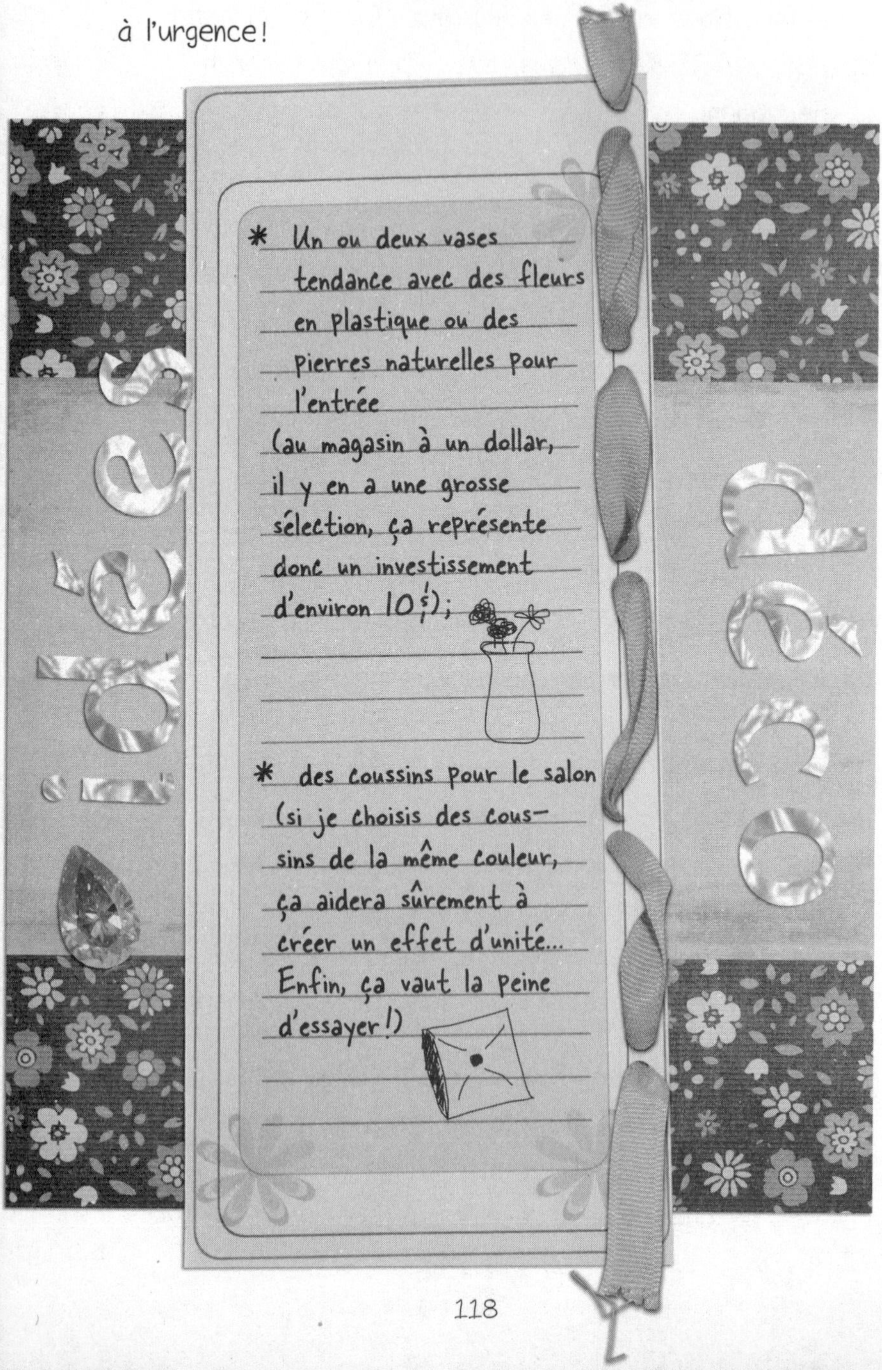

idées déco

* Un ou deux vases tendance avec des fleurs en plastique ou des pierres naturelles pour l'entrée (au magasin à un dollar, il y en a une grosse sélection, ça représente donc un investissement d'environ 10$);

* des coussins pour le salon (si je choisis des coussins de la même couleur, ça aidera sûrement à créer un effet d'unité... Enfin, ça vaut la peine d'essayer!)

Autre idée pour rendre le décor de l'appartement plus attrayant:

quelques encadrements pour la cuisine

Ana possède tout plein de *posters vintage* dont elle ne se sert pas, car elle manque de place pour les accrocher. Peut-être qu'elle me laissera en encadrer quelques-uns?

Quand papa nous a demandé ce qu'on pensait de sa nouvelle «tanière», j'ai voulu voler à son secours sous le couvert de l'humour et je lui ai répondu:

— C'est très joli! Ça manque un peu d'une touche féminine, mais c'est très joli...

Et c'est là qu'il a vu une belle occasion de larguer la bombe.

— Je suis content que tu en parles. Venez au salon, j'ai quelque chose à vous dire.

(Parce que chacun sait que toutes les meilleures conversations du monde commencent toujours par «J'ai quelque chose à te dire»...)

— Les enfants, a-t-il entamé après que nous ayons pris place sur le canapé bleu usé, je ne sais pas à quoi au juste vous vous attendiez et j'imagine que la nouvelle vous causera un choc, mais vous devez comprendre que, dans une vie d'adulte, les choses changent parfois. Par exemple, le métabolisme n'est plus le même: on engraisse plus facilement, on perd ses cheveux ou bien ils deviennent gris...

Guillaume et moi avons froncé les sourcils, pas certains de bien comprendre où il voulait en venir.

— P'pa, on sait tout ça, l'ai-je coupé. Qu'est-ce que tu veux nous dire au juste?

Il a soupiré et a lâché le morceau:

— J'ai rencontré quelqu'un. En fait, je l'ai rencontrée il y a longtemps, sauf que mes sentiments pour elle avaient été, jusqu'à présent, seulement amicaux. Mais, comme je l'ai mentionné, les choses changent... et ça aussi.

— Papa, est-ce que t'essaies de nous faire comprendre que t'as une blonde? l'ai-je questionné.

— Oui, a-t-il répondu au bout d'un moment, visiblement mal à l'aise.

— Donc, tu n'aimes vraiment plus maman?!

Je ne sais pas pourquoi j'ai dit ça! La question m'a échappé avant que j'aie le temps de la tourner et retourner dans ma bouche. Une grosse boule s'est subitement formée dans mon estomac et j'ai ressenti une énorme envie de pleurer. C'est donc ça, l'amour?

On tombe amoureux, on se marie, on fait des bébés, on fonde une famille, puis, pouf! après vingt ans de vie commune, on s'en va parce que «nos sentiments ont changé»?! Et les vœux du mariage qui stipulent qu'on doive s'aimer jusqu'à la fin de nos jours... Pourquoi se marier si cette promesse ne veut rien dire?!

Carte de voeux offerte à l'occasion de leur 15e anniversaire de mariage

C'était leur anniversaire «de cristal», et je me rappelle qu'ils s'étaient achetés de beaux verres à vin en cristal pour le souligner. Quand ça fait vingt ans qu'un couple est marié, il fête habituellement son anniversaire «de porcelaine». Finalement, du cristal et de la porcelaine, c'est vraiment fragile...

Étonnamment, ma tristesse s'est rapidement retrouvée en compagnie de son amie des derniers temps: la colère. Et j'en ai été la première surprise! Depuis le temps que le divorce est annoncé, Guillaume et moi avons eu près de trois semaines pour nous y accoutumer. J'avais presque repris ma petite routine et ne ressentais plus cette peine ni cette colère désormais si familières. Pourquoi ressurgissaient-elles maintenant, après s'être pratiquement endormies? La blessure ne se refermera-t-elle donc jamais? Elle va juste s'engourdir et attendre le meilleur moment pour s'ouvrir de nouveau?

Je suis peut-être trop impatiente. Il faut sans doute plus de temps que ça pour guérir d'un divorce... Maintenant que j'y repense, on dirait que je cherchais à protéger cette image que je m'étais faite du bonheur et d'une vie familiale harmonieuse (enfin, y'a toujours bien mon frère, mais je ne le déteste pas tant que ça, dans le fond!) Je me sentais comme... comme une louve qui protège ses petits. Je DEVAIS défendre ma mère... C'était une sensation vraiment étrange.

Mais pour revenir à notre conversation... Mon père a pris un air contrit (mot nouveau du jour) et m'a serrée dans ses bras:

— Oh! Lutine! J'aime encore ta mère, voyons! C'est juste plus de la même façon. Camille, c'est une bonne amie maintenant, mais sans plus.

— Alors ta nouvelle copine a remplacé maman, ai-je sangloté.

— Écoute, tu es assez grande pour comprendre que des sentiments, ça change avec le temps. Quand tu étais petite, tu «trimbalais» ton frère partout comme ton bébé. Maintenant, vous avez du mal à vous parler tous les deux, mais c'est une phase, ça, ma puce. Dans quelques années, ça changera à nouveau et vous vous rapprocherez. La vie, c'est vraiment un cycle, une roue qui tourne. Il n'y a jamais rien de définitif ou d'éternel... sinon que la roue tourne toujours. C'est une leçon qu'il faut apprendre très tôt pour savoir apprécier le moment présent. Tu comprends?

Je savais que ses paroles avaient du sens, mais je ne parvenais pas à me défâcher. Et c'est là que mon frère – qui avait regardé par la fenêtre

LA VIE

est une roue qui tourne

Adaptation libre du classique « *The circle of life* » du *Roi Lion*... Aaaaah, mon père et ses pensées profondes...!

en silence pendant tout ce temps-là – a ouvert la bouche sans même tourner la tête vers nous:

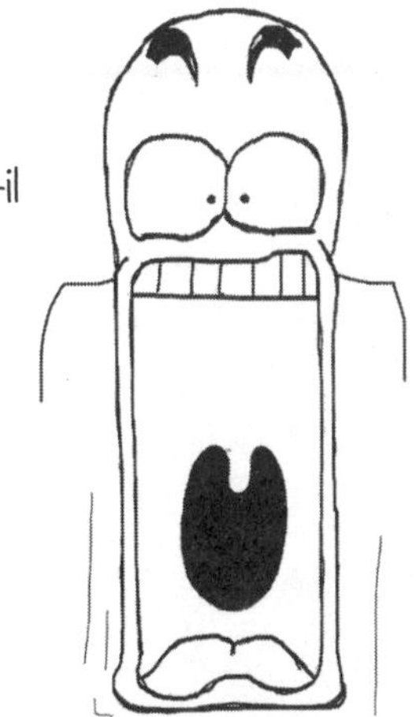

– C'est Kathy, c'est ça? a-t-il demandé.

Et là, la face qu'a faite mon père, je vous jure, c'était comme dans les *cartoons*, avec la mâchoire qui tombe de six pieds de haut. Mon frère – ce *gamer* qui a toujours le nez rivé sur un écran et qui, croit-on, ne nous entend pas – prêtait non seulement attention aux conversations qui se déroulaient autour de lui, mais savait viser juste quand il parlait.

Mon père s'est mis à bafouiller et je ne sais pas pourquoi – le stress, l'air ahuri de papa ou autre – mais j'ai éclaté de rire. Vraiment éclaté, genre « Pwaaah ha ha ha ha ha! » Et tout le monde a suivi! Dix secondes plus tard, on riait comme des fous, tous les trois! Ça faisait du bien.

Après cinq bonnes minutes à rire aux larmes, mon père nous a attrapés, Guillaume et moi, et nous a serrés fort contre lui.

On riait aux larmes, oui... mais je pleure d'une tristesse profonde en me rappelant la scène ici...

— Y'a une chose qui ne changera jamais, une seule chose au monde qui est éternelle... c'est mon amour pour vous deux. Ça, je vous interdis pour toujours d'en douter.

— Ouin, mais... est-ce que c'est Kathy ta nouvelle blonde? a réitéré mon frère.

Et moi de me remettre à pouffer, entraînant mon père et mon frère à ma suite!

Mais oui, finalement, on a eu la réponse: la nouvelle blonde de mon père, c'est Kathy Duchesneau, sa collègue des dix dernières années ou presque.

C'est OK.

Je suis moins fâchée, on dirait; elle est *cool,* Kathy. Je me suis toujours bien entendue avec elle quand je rendais visite à mon père au travail. C'est sûr qu'elle est quand même plus jeune que lui de plusieurs années, mais si ça ne les dérange pas... je ne vois pas pourquoi ça me choquerait, moi.

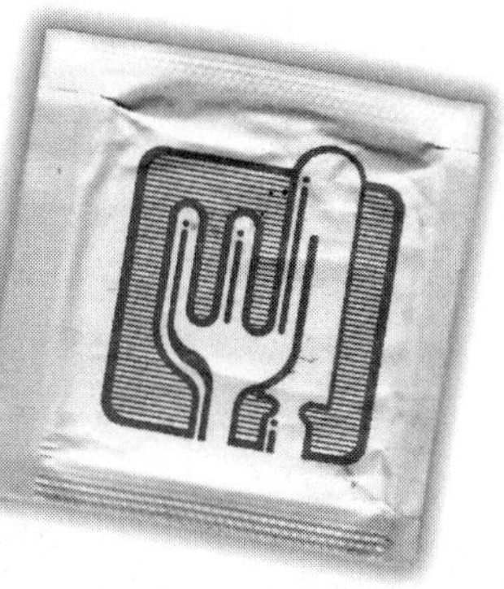

La soirée s'est terminée au restaurant chinois, où nous nous sommes régalés de rouleaux de printemps et de poulet général Tao méga épicé (au feu!) Mon père a eu la délicatesse de ne pas inviter Kathy à se joindre à nous, ce qui faisait mon affaire, car je crois que j'ai encore besoin d'un peu de temps pour digérer la nouvelle. À la fin du repas, nous n'avons pas manqué l'occasion de craquer quelques *fortune cookies* (même si ce n'est pas mangeables, ces trucs-là, et qu'on les abandonne sur la table en prétextant ne plus avoir faim). Devinez un peu les nouveaux messages indéchiffrables que nous a fait parvenir l'Univers????!!!

« Pour éviter la critique, ne faites rien, ne dites rien, ne soyez rien. »

To avoid criticism, do nothing,
say nothing, be nothing.

Je sens que le biscuit se mêle de mon problème avec madame Péloquin!

À notre retour à la maison, ma mère nous a demandé si nous avions passé une belle journée chez notre père. Un réflexe (que je ne me connaissais même pas) m'a comme interdit de lui révéler l'identité de la blonde de papa. En fait, ni Guillaume ni moi n'avons MENTIONNÉ le fait que notre père se trouvait déjà dans une nouvelle relation... C'est drôle: on aurait dit que nos *aliens* avaient tous les deux lu le même livre sur « comment gérer le divorce de ses parents » et s'étaient concertés à notre insu. Coudonc, tous les enfants naissent-ils avec le gène de gestion du divorce?

Qui es-tu?
JE SUIS LE GÈNE DE GESTION DU DIVORCE.

Ah! Et que fais-tu?
JE SUIS UN EXPERT EN CALCUL MENTAL; J'ÉVALUE COMBIEN VAUT LA MOITIÉ DE TOUT.

Paix...
ENTERRÉE, LA HACHE DE GUERRE DOIT ÊTRE, HMM?

Si je fais une Yoda de moi-même, c'est pour illustrer le fait que mon nouveau «patron», alias Érik, semble inspiré par la sagesse du petit bonhomme vert de la *Guerre des étoiles* que j'adore.

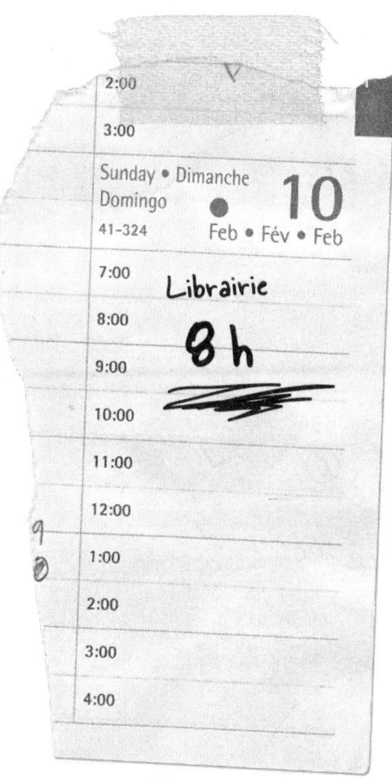

Après avoir passé la journée de samedi chez mon père (à visiter son nouvel appart et à en apprendre davantage sur ses relations personnelles), je suis allée faire mon tour à L'Évasion dimanche. Fidèle à mon habitude, je suis arrivée très tôt, et Érik m'a déverrouillé la porte.

— Hé bien! Comme disent les anglophones: «*Long time no see*»!

— Excuse-moi, ai-je bafouillé en tapant mes pieds contre le sol pour faire décoller la neige de mes bottes. Mes parents sont en train de divorcer, et je dois encore m'adapter à la «garde partagée».

— Hé, c'est OK, m'a-t-il rassurée, t'as pas besoin de t'expliquer. Après tout, tu n'es pas une employée «officielle» et je ne suis pas ton patron «officiel», alors je n'ai pas à t'imposer un horaire, comment dire...

— «Officiel»? ai-je achevé dans un sourire.

Érik a levé sa main gauche, son pouce et son index formant un «L» pointé vers moi, et a plié le pouce en claquant la langue, comme pour me dire «right on!» Puis il a repris un air sérieux avant de poursuivre:

— Le mois prochain, par contre...

— Oh! Tu n'as même pas à t'inquiéter, je suis toujours hyper assidue, l'ai-je coupé en me dirigeant vers l'arrière-boutique pour me débarrasser de mon attirail de saison.

Une fois seule, je suis restée un bon cinq minutes debout devant la patère à faire rejouer notre conversation dans ma tête. Qu'avait-il voulu dire par «le mois prochain»? Me signifiait-il par là que son oncle comptait revenir travailler? J'ai alors réalisé que, même si je souhaitais que monsieur Dumas se remette promptement, son retour à la santé signifierait aussi le départ d'Érik. À cette pensée, j'ai ressenti comme un petit pincement dans mon estomac, et une toute petite pointe de tristesse est née en moi, mais je l'ai chassée en secouant la tête. Avec horreur, je n'ai pu m'empêcher de prendre conscience du fait que le retour de monsieur Dumas à la librairie pourrait tout aussi bien correspondre à *mon* départ. Il était effectivement logique de penser que, Érik étant son neveu et en âge légal de travailler, monsieur Dumas le privilégierait à ma petite personne. Je demeurais plantée là, à argumenter avec moi-même (encore un peu et je réussirai mon test d'entrée à l'hôpital psychiatrique!) et à échafauder toutes sortes de scénarios sombres au lieu de me mettre à l'ouvrage.

Quand je suis finalement retournée dans la boutique, Érik m'attendait avec un grand sourire et une sélection de livres sur le cinéma.

— Les Oscars s'en viennent, faites votre choix, mademoiselle, a-t-il scandé avec emphase dans la librairie déserte.

Sa tirade m'a fait rire. Ses cheveux décoiffés et

sa chemise déboutonnée lui donnaient un air vraiment théâtral, à la fois poétique et mystérieux. J'ai saisi la pile de livres de ses mains en lui souriant coquinement. Nous avons travaillé avec entrain sur la musique de EPIK FM pendant une bonne heure. Je me sentais légère, presque heureuse; le reste du monde (avec ses problèmes) avait disparu. C'était tellement agréable de travailler avec Érik, tellement facile que même nos silences devenaient confortables.

La journée s'avérait plutôt tranquille, et seuls trois clients avaient effectué des achats depuis l'ouverture. J'avais fini de préparer le présentoir depuis un bout et je rêvassais en écoutant la musique. Je songeais à monsieur Dumas, à son neveu et au fait que j'aimais davantage venir travailler depuis qu'Érik avait pris les choses en main. Ce n'était pas seulement parce qu'on écoutait mon genre de musique, mais aussi parce que je sentais qu'on avait tissé une véritable complicité en très peu de temps. Je savais peu de choses de lui, et lui de moi, mais j'avais le sentiment qu'il pouvait lire en moi comme s'il me connaissait par cœur.

Justine et Érik tissent des liens...

J'en étais rendue là dans mes pensées lorsqu'Érik m'a fait sursauter en interrompant mes réflexions.

— Ça va? m'a-t-il demandé en s'approchant du comptoir où je me trouvais.

— Quoi? Hein? Oh! Euh, oui. Oui, oui, ça va. Désolée, j'étais ailleurs.

— Je vois ça: ça fait cinq minutes que tu fixes le comptoir sans bouger.

— Oh!

Malaise! (Qui a sûrement dû transparaître sur ma figure puisqu'Érik a éclaté d'un rire franc.)

— Tu penses au divorce de tes parents, je parie... Est-ce qu'ils se chicanent beaucoup?

Hum... Je ne songeais pas du tout à ça, en fait (pour une fois!) Mais Érik se doutait évidemment que quelque chose clochait (quand je disais qu'il me lisait comme un livre ouvert!) et je ne voulais surtout pas qu'il devine ce à quoi je réfléchissais une minute avant!

— Oui et non... Mais je ne veux pas t'embêter avec ça...

Il continuait à me regarder avec insistance. Ses yeux me détaillaient et je sentais que je ne l'embêtais pas du tout. J'avais vraiment le sentiment qu'il me sondait jusqu'au plus profond de moi-même. Ouf... Il s'est alors rapproché de moi et s'est accoté contre le comptoir, de sorte que nos épaules se touchaient presque.

— Mes parents sont encore ensemble, mais je te jure que c'est quasiment hors norme dans mon cercle d'amis. Je ne veux pas avoir l'air de banaliser ta situation... Ça doit tout de même être *rough*, a tenté Érik.

— Ouais... ai-je confirmé avec hésitation.

Voyant qu'Érik attendait la suite, j'ai partagé davantage ce qui me tracassait.

— Ce que je trouve difficile, c'est que ma vie soit toute chamboulée par leur décision. Je sais plus trop sur quel pied danser. Est-ce que je devrais accepter la garde partagée? Est-ce que je serais mieux si je restais juste chez ma mère, en voyant mon père seulement la fin de semaine?

Est-ce que j'ai le droit de dire à ma mère que mon père a déjà une blonde? Est-ce que je suis, genre, hyper égoïste de penser juste à moi et à mes affaires?

Malgré moi, ma voix s'est étranglée et les larmes me sont montées aux yeux. Ce n'était certainement pas une facette de moi que je souhaitais dévoiler, et surtout pas à mon patron temporaire. Il allait me prendre pour un bébé, c'est clair. Érik s'est vivement retourné, et j'ai pensé un instant qu'il se sauvait face à mon trop-plein d'émotions, mais une fraction de seconde plus tard, il me tendait un mouchoir pour que je tamponne mes yeux et essuie mon nez. Il a alors avancé sa main, qu'il a posée sur la mienne avec plein de douceur et de compassion.

— C'est sûr, je comprends. Tu sais, toutes tes émotions sont justifiées, et tu n'as pas à t'en vouloir d'éprouver de la colère et de la frustration.

La tête penchée, j'observais sa main sur la mienne et je ressentais de petits frissons me parcourir. Bien vite, il allait retirer son étreinte amicale et le charme serait rompu... Je me suis vite ressaisie et j'ai changé de sujet avant qu'il ne s'aperçoive de la véritable raison de mon émoi.

— As-tu déjà eu des démêlés avec un prof?

Il s'est redressé, surpris.

— Souvent! s'est-il exclamé en hochant la tête avec énergie. C'est comme partout: y'en a des *cool*, mais y'en a des cons aussi. Tu me demandes ça parce que...?

Je lui ai rondement expliqué la problématique et lui ai dressé un portrait (peu flatteur, c'est vrai!) de ma nouvelle prof de français.

Bon, j'ai peut-être un peu exagéré ma présentation de madame Péloquin, mais c'est comme ça que je la vois!

Tout le temps que je parlais, il me regardait intensément, et je pouvais voir sur son visage qu'il était consterné, voire un peu inquiet. À la fin du récit, il a froncé les sourcils et a calé son menton entre son pouce et son index gauches (tiens... Était-il gaucher? Je n'avais jamais remarqué...)

— C'est vraiment une situation embêtante, a-t-il avoué. Elle m'a l'air d'être tout un numéro, cette madame Péloquin...

Puis, après avoir pris quelques instants pour y réfléchir, il a proposé:

— Soit elle est réellement une harpie de la pire espèce, soit ta prof t'a simplement prise en grippe.

— En quoi?

— En grippe. Ça veut dire qu'elle ne t'aime pas la face sans raison apparente.

— Ah! C'est peut-être pour ça que je me mouche depuis la reprise des cours...

Pouêt pouêt... Franchement Justine! Jeu de mots trop poche. Je ne suis pas fière de toi!

— Je crois que si tu essaies de la prendre de front en lui reprochant le fait qu'elle agit injustement avec toi, elle ruera dans les brancards et niera tout. En même temps, si vraiment elle est méchante juste pour être méchante, tu devrais porter plainte au directeur. Tu as des témoins, à ce que je comprends?

— Oui... Les gens du journal sauraient témoigner du comportement de madame Péloquin, et quelques élèves de mon cours de français, dont ma *best*, pourraient dire qu'elle est effectivement toujours sur mon dos.

— Très bien. Ta plainte risquerait toutefois d'avoir des conséquences négatives. Entre autres, si elle apprend que tu l'as «stoolée» et qu'on ne te change pas de classe, ça pourrait envenimer davantage la situation...

— Mouin... Ça me tente pas tellement! Alors, dans ce cas, quelles sont mes autres options?

— Je sais pas... Tu pourrais apprendre à connaître ta prof et essayer de l'amadouer?

— Ouf! Pas évident!

— Enterrée, la hache de guerre doit être, hmm? a achevé Érik avec une imitation vraiment réussie de mon *alien* préféré qui m'a fait éclater de rire.

— Hmm, hmm... Bon. Merci pour ces conseils, maître Yoda, l'ai-je taquiné. Je vais les prendre en considération.

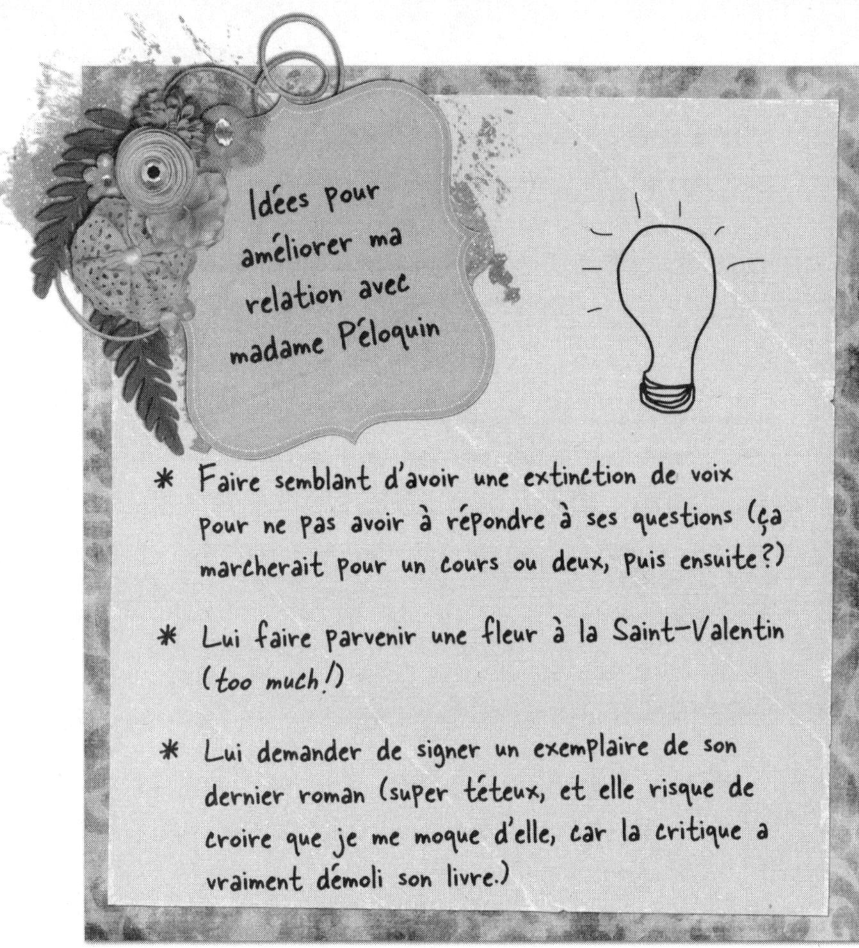

Idées pour améliorer ma relation avec madame Péloquin
* Faire semblant d'avoir une extinction de voix pour ne pas avoir à répondre à ses questions (ça marcherait pour un cours ou deux, puis ensuite?)
* Lui faire parvenir une fleur à la Saint-Valentin (*too much!*)
* Lui demander de signer un exemplaire de son dernier roman (super téteux, et elle risque de croire que je me moque d'elle, car la critique a vraiment démoli son livre.)

À l'aide, je n'ai pas trouvé une seule bonne idée!!

Le reste de la journée s'est déroulé dans la bonne humeur, et j'ai passé une partie de l'après-midi à contempler mes présentations très *glamour* sur le cinéma. J'avais tapissé le mur de la vitrine de papier rouge velours et éparpillé plein d'éléments noirs qui ~~donnaient~~ conféraient au tout un *look* très *slick*. Les livres choisis portaient sur Marilyn Monroe,

Alfred Hitchcock et James Bond. À ça s'ajoutaient les romans *The Great Gatsby* et *The Hobbit* (dont je n'ai toujours pas vu le film). J'avais également collé deux paquets de faux diamants autocollants (achetés à l'origine pour ce *scrapbook*) sur le papier rouge, où on pouvait lire, écrits en grosses lettres tracées au crayon feutre, les noms de certaines stars en nomination pour recevoir une statuette dorée! Très chic, comme décor! Trop fière, la Justine!

Voici un peu à quoi ça ressemble!

Il ne manque plus qu'un élément pour compléter la scène: une statuette des Oscars! Je vais en fabriquer une en glaise (ma mère fait de la poterie, alors on a tout ce qu'il faut dans le garage) et la recouvrir de peinture dorée.

Je compte faire ça ce soir. À suivre…

*

Bon, il est 00 h 38 et je vais me coucher... La statuette m'a causé plus de problèmes que prévu, mais le résultat final n'est pas si mal. C'est sûr qu'Hollywood ne pourrait pas s'en servir comme prix officiel, mais quand même ! Et puis, j'aime travailler avec mes mains ! Ça fait différent de toujours travailler avec sa tête pour créer des histoires !

← **J'aurais du m'essuyer les mains avant de prendre mon *scrapbook*.**

C'est drôle comment mon frère et moi sommes laissés davantage à nous-mêmes depuis que mes parents sont séparés. Avant, ma mère s'assurait que je me couche à des heures décentes, mais on dirait qu'elle n'a plus autant d'énergie pour nous imposer des règles à présent. D'abord la boisson gazeuse au resto avec mon père, et maintenant ma mère qui relâche sa surveillance... Je sais que je devrais me réjouir, mais je me sens plutôt comme si on m'avait abandonnée...

Bon ben, sur cette pensée ultra déprimante, bonne nuit...

JOURNÉE DE NEIGE

L'école a été annulée.
Yé x 100 000 !

Ce matin, maman a entendu à la radio que l'école Sainte-Jeanne-des-Eaux n'ouvrirait pas ses portes aujourd'hui à cause de la tempête de neige.

Au début, j'étais vraiment hyper contente de ne pas avoir de cours (surtout que, le jeudi, je commence la journée en éducation physique... Beurk !)

En plus, Guillaume était parti passer la journée chez son ami Xavier (le grand frère de ce dernier allait les garder, apparemment), ce qui ~~voulait dire~~ signifiait que j'aurais la maison rien que pour moi ! J'étais tellement heureuse que j'ai planifié ma journée entière en l'espace de quelques seconde:

d'abord, un bon bain moussant avec un roman, puis j'inviterais Ana à passer l'après-midi chez moi, et on regarderait des films ou les plus récents épisodes de *Fringe* sur Internet.

Sauf qu'à peine maman partie au travail, l'électricité m'a abandonnée. C'est fou comme on ne se rend pas compte à quel point c'est pratique, l'électricité! Je voulais avoir des toasts: le grille-pain ne marchait évidemment pas. J'ai donc mangé des céréales qui, avec la température de la maison qui chutait plutôt rapidement, n'ont pas aidé à me réchauffer.

Mes céréales étaient ffffrrrroides!

Je me suis alors dirigée vers la baignoire que j'ai égoïstement remplie jusqu'au bord, vidant du coup le réservoir d'eau chaude. J'ai savouré une bonne heure de solitude et de chaleur enveloppante avec un roman de *fantasy* (plutôt moyen, il faut le dire, mais la mousse parfumée, les flocons de sel de bain, les chandelles et la chaleur dans la pièce compensaient pour la médiocrité du livre emprunté à la bibliothèque de mon école).

Lorsque je suis sortie de la salle de bain, le froid m'a agressée et j'ai dû me rendre à l'évidence: je n'avais aucune envie de rester à la maison à geler. J'ai appelé Ana pour savoir si ELLE avait de l'électricité (peut-être aurions-nous pu passer la journée chez elle plutôt que chez moi), mais elle se trouvait dans le même état que moi (il faut dire qu'elle demeure assez près). Elle a donc proposé que nous allions flâner dans les boutiques de la rue Principale afin de voir s'il n'y aurait pas de l'action ou quelques amis en mal d'aventure. J'ai donc téléphoné à ma mère pour l'avertir et je suis partie de la maison.

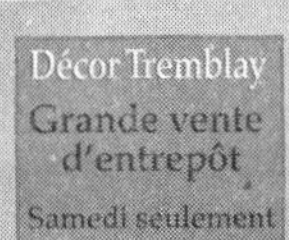

Le Clairon

Depuis 1962

Vendredi, 1er fév

Météo : -6° C

La tempête prive 20 000 foyers d'électri

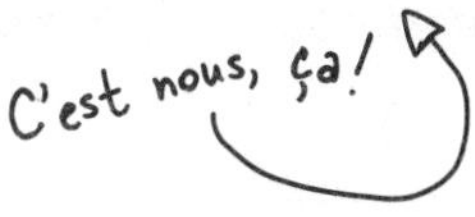

La tempête n'était pas si mal pour ceux qui marchaient; en voiture, par contre, ça devait être l'enfer! Le journal mentionnait au moins

40 carambolages dans les environs. Je m'étais emmitouflée de telle façon que je n'ai pas trop souffert du mauvais temps (deux paires de bas; une paire de collants sous mes pantalons; t-shirt et coton ouaté sous mon manteau; bottes, tuque, foulard, mitaines et lunettes de ski de ma mère pour compléter le tout. Sérieux, j'aurais pu remplacer le bonhomme Michelin dans les publicités!)

Ana et moi sommes arrivées presque en même temps à l'extrémité sud de la rue Principale (ma *best* était aussi «encoconnée» que moi), et nous avons constaté avec joie que les commerces

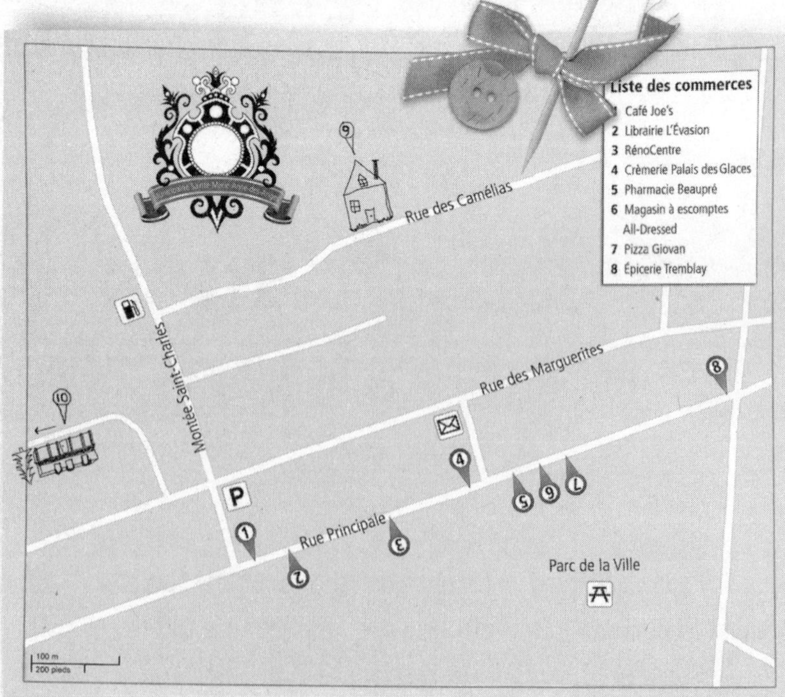

étaient ouverts. Bon nombre d'entre eux semblent s'être munis d'une génératrice depuis que la queue de l'ouragan Irène s'est abattue sur nous, il y a deux ans. Il y avait comme une ambiance de fête dans les rues. Beaucoup de gens (des ados surtout) circulaient dans la rue et certains se lançaient même des balles de neige. Ana et moi avons décidé d'aller prendre un petit lunch réconfortant chez Joe's, un charmant café qui sent toujours le bon pain frais maison et qui propose de délicieuses pâtisseries. Je me suis gâtée avec une excellente brioche pomme et cannelle et un chocolat chaud. Miam !

La rue Principale de Saint-Creux n'est pas bien longue, et les commerces, pas très nombreux. Nos options pour rester au chaud se résumaient donc à: Joe's, RénoCentre (qui fait office de magasin général), la Pharmacie Beaupré (pas très amusant de magasiner là), le Palais des Glaces (une crème glacée en pleine tempête, ça serait trop concept, mais c'est évidemment fermé l'hiver),

Pizza Giovan (le nom le dit), All-Dressed (un magasin qui, au départ, proposait seulement des vêtements pour toute la famille, mais qui s'est récemment agrandi un peu pour devenir comme un mini Wal-Mart avec une section jeux de société, articles de sport, etc.), l'épicerie et la librairie L'Évasion.

Ana n'a pas eu besoin de se faire convaincre pour aller fouiner un peu dans les nouveaux livres, alors nous nous sommes dirigées vers L'Évasion. Une fois à destination, ma *best* a longuement admiré ma vitrine dédiée aux Oscars (que je déferai dans trois semaines, après les *Academy Awards*) puis elle a dit que c'était une excellente idée et que la vitrine de la boutique n'avait jamais été si belle! J'étais très fière, mais je lui ai quand même avoué que l'idée ne venait pas de moi.

À l'intérieur, Érik nous a accueillies avec un grand sourire et s'est approché de nous en deux enjambées.

— Journée de neige, à ce que je vois, a-t-il déduit avec enthousiasme.

Son regard se posait sur moi avec malice, et il semblait à peine se rendre compte que j'étais accompagnée.

— Oui. Ils ont fermé l'école pour la journée, l'ai-je informé sans pouvoir contenir ma bonne humeur.

— Bon, faites comme chez vous, alors!

En disant ça, il m'a tapoté le côté du bras comme il l'aurait fait pour un vieux pote, puis il est retourné à ses occupations dans l'arrière-boutique.

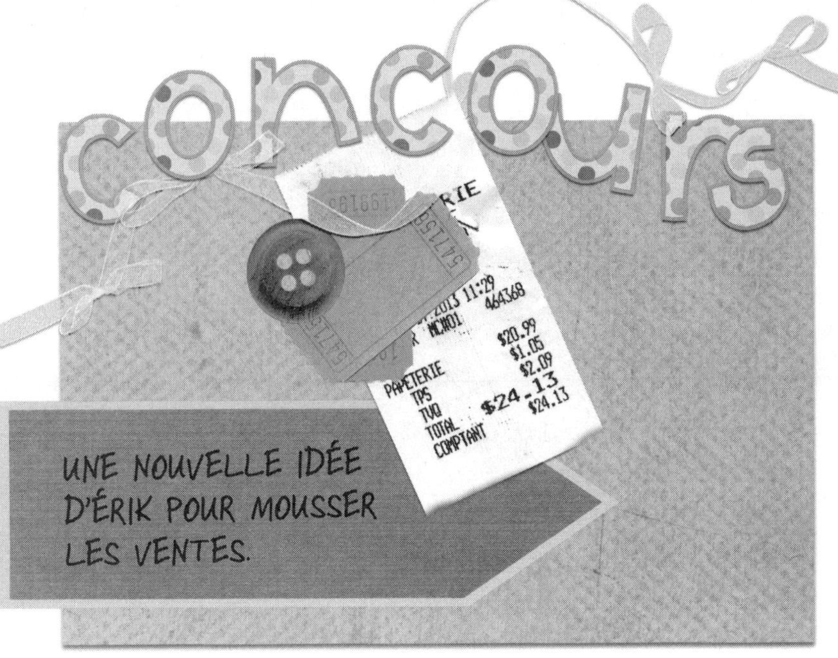

Le tirage aura lieu à la fin de chaque mois, mais je ne peux pas y participer, car je travaille ici... Par contre, il a dit qu'Ana pouvait remplir un coupon, en autant qu'elle achète pour le montant indiqué!

Ana s'est alors tournée vers moi et m'a soufflé à l'oreille:

— C'est lui, Érik?

Ma *best* m'a jeté un regard entendu, signifiant «Ah, petite cachottière!» Arquant bien haut les sourcils et faisant les gros yeux, elle continuait à me dévisager avec étonnement.

— Ben voyons! Pourquoi tu me regardes de même? ai-je rouspété.

— T'as pas vu la façon dont il t'observait?

— Quoi, j'ai quelque chose entre les dents? J'ai un nouveau bouton? ai-je paniqué en me tâtant le visage.

— Non, non, espèce de nouille! Son regard s'est comme illuminé quand il t'a aperçue.

— Pis? Il était content de me voir, c'est normal, on travaille ensemble...

— Oui, c'est ça... a poursuivi Ana, me laissant entendre par son ton et la façon dont elle dodelinait de la tête qu'elle ne me croyait pas une miette et qu'elle supposait que je lui dissimulais la vérité. Ah! Je comprends: tu ne veux pas te porter malchance en en parlant, c'est ça?

— Malchance pour quoi?

— Ben... t'as peur que ça diminue tes chances de sortir avec lui si tu en parles.

— Hein?! Rapport?! me suis-je (inefficacement) défendue.

Un immense sentiment de gêne m'a alors envahie et j'ai dû virer au rouge tomate, car ma *best* a éclaté de rire, chose qu'elle fait rarement (elle rit toujours plutôt discrètement). Mon attitude semblait lui confirmer ce qu'elle s'imaginait: que je craquais pour le neveu *geek* de monsieur Dumas. Mais, plus troublant encore, mon amie semblait croire qu'Érik avait des sentiments pour moi. Elle devait sûrement se tromper... mais cette supposition me virait tout de même à l'envers.

Sans me donner le temps de me remettre de mes émotions ni de me défiler, Ana a enchaîné:

— Bon, est-ce que tu sais au moins s'il a une blonde? a-t-elle demandé.

— NON! me suis-je peut-être un peu trop empressée de répondre.

Nouveau rire de la part de ma *best*.

— Il t'intéresse et tu ne sais même pas s'il est disponible?

— *Shut up*, il ne m'intéresse pas «pantoute»! Et pas si fort, l'ai-je suppliée, il pourrait t'entendre.

Elle me connaît trop! Elle a pas besoin d'une boule de cristal pour lire dans mes pensées, elle...

— Qu'est-ce que ça peut te faire qu'il nous entende s'il ne t'intéresse pas?

(Ouch! Ben oui, hein?)

— Euh... C'est juste que... Je sais pas! C'est pas... Ç'a *full* pas rapport! Genre, *come on!*

— Hmm, je pense qu'il va falloir que je t'achète un dictionnaire des synonymes, toi. Tu commences à manquer de vocabulaire, m'a-t-elle lancé avant de se diriger vers la section des mangas.

Et voilà. C'est là - exactement à ce moment-là - que j'ai su... Comme une révélation soudaine, une «épiphanie» (c'est ça le mot que je cherchais!): il était devenu inutile de tenter de le nier. Ana avait raison: j'avais réellement développé un *kick* pour le neveu de monsieur Dumas.

Non… Un «*kick*», ça ne semble pourtant pas le mot approprié pour décrire ce que je ressens quand je le vois. C'est plus comme une main qui étreint mon cœur, mais ça ne fait pas vraiment mal, bien au contraire. C'est hyper puissant, douloureux et doux en même temps… En tout cas, une chose est sûre: ça n'a RIEN à voir avec ce que je ressentais à l'époque pour Raphaël! Érik, c'est autre chose… Ce n'est pas… C'est…

Ayoye! Je crois que je ferais effectivement mieux de consulter un dictionnaire des synonymes!

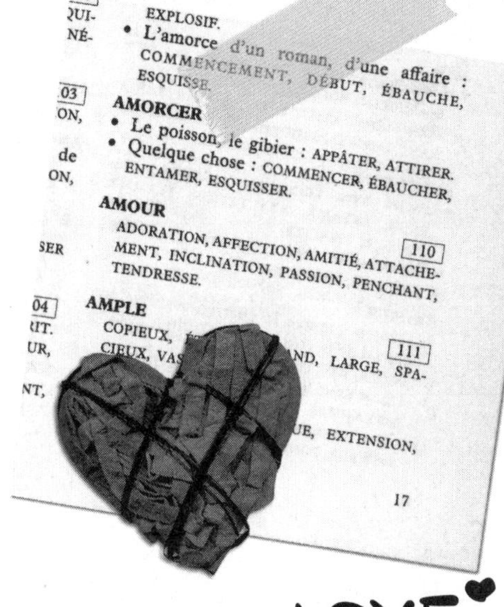
EXPLOSIF.
• L'amorce d'un roman, d'une affaire : COMMENCEMENT, DÉBUT, ÉBAUCHE, ESQUISSE.

AMORCER
• Le poisson, le gibier : APPÂTER, ATTIRER.
• Quelque chose : COMMENCER, ÉBAUCHER, ENTAMER, ESQUISSER.

AMOUR 110
ADORATION, AFFECTION, AMITIÉ, ATTACHEMENT, INCLINATION, PASSION, PENCHANT, TENDRESSE.

AMPLE 111
COPIEUX, … CIEUX, VAS… …ND, LARGE, SPA-
…UE, EXTENSION,

17

AMOUR n. m. Inclination envers une personne.

LOVE

yeux qui, derrière ses adorables petites lunettes, se posent sur moi avec malice... Zut, j'avoue que je ne l'avais pas vue venir, celle-là. C'est un amour impossible à plein de niveaux !

Je suis trop jeune pour lui, et il retournera un jour à Montréal lorsque son oncle sera rétabli. À moins qu'il reste et que monsieur Dumas l'emploie à L'Évasion !

Malgré les railleries d'Ana, le reste de la journée s'est déroulé dans la bonne humeur (magasiner avec ma *best* est toujours, pour moi, une source de joie) et les réflexions profondes. Avec mon rabais d'employée, Ana s'est gâtée et s'est acheté trois nouveaux livres, dont le roman *Gatsby le magnifique* qui, selon ce qu'a affirmé Érik, est un petit bijou qui devrait lui plaire. Ana m'a promis de me le prêter ensuite.

Là, je suis de retour chez moi. Il est encore tôt (j'avais promis à ma mère d'être présente quand mon frère reviendrait de chez son ami), l'électricité est revenue, et j'ai toujours le cerveau qui roule à cent milles à l'heure pour comprendre mes propres sentiments. Pour être totalement honnête, je dois admettre que, oui, je voudrais Érik pour moi toute seule. Et rien qu'à l'idée qu'il pourrait ne pas être libre, mon cœur se crispe de douleur. C'est tellement compliqué, mais tellement simple en même temps...

L'école a rouvert ses portes vendredi, et nous avions des cours, comme d'habitude. Et qu'est-ce qui se trouve à la deuxième période de mon horaire, le vendredi? Eh oui! Français.

Le karma joue en ma faveur!

J'ai donc saisi l'occasion et j'ai tenté de faire une jeune femme mature de moi-même. TRÈS mature, même, mais ce n'était vraiment pas évident.

J'ai essayé de répondre de mon mieux aux questions de madame Péloquin et d'accepter ses critiques avec un sourire, jusqu'à paraître intéressée par ses paroles! J'ai même tenté de lui laisser savoir que j'appréciais qu'elle m'enseigne de la sorte... (Bon, je sais, j'ai un peu exagéré, mais mieux vaut trop que pas assez, non?) Ça n'a pas eu l'air d'avoir un très grand effet: elle a continué à s'acharner sur mon cas.

— Tu resteras après la période, j'ai deux mots à te dire, m'a-t-elle apostrophée sans vergogne (ça veut dire «effrontément». Vive le dictionnaire des synonymes!) en me remettant un travail que j'avais rédigé lors du dernier cours.

J'ai regardé ma note avec appréhension (un désolant 74% alors que je me maintenais toujours dans les 90% avant...) en tentant de repérer mes fautes, et j'ai remarqué qu'elle m'avait enlevé des points pour des virgules mal placées (selon elle, grrrr! Tellement pas objectif!)

Elle a même cochonné ma copie... Non, mais !!!

Travail un peu bâclé 74%

Syntaxe : -7 pts
Grammaire : - 3 pts
Ponctuation : - 11 pts

Texte d'opinion
« Vivre en région est-il plus avantageux que vivre en ville ? »,
par Justine Perron

Il restait cinq minutes au cours, mais elles m'ont paru interminables tant la perspective d'une discussion avec madame Péloquin m'angoissait. La cloche a finalement sonné, et je me suis avancée vers le devant de la classe en me traînant les pieds de reculons (si je combine ces deux expressions, est-ce que ça amplifie le fait que je ne voulais vraiment pas lui parler?) Allait-elle me dire de vive voix à quel point elle me trouve cruche?

Assise derrière son bureau, elle m'a contemplée une longue minute d'un air suffisant, puis elle a finalement sorti une copie de *L'Encrier renversé* de son sac de cuir et l'a laissé choir sur le bureau en me demandant:

L'ENCRIER RENVERSÉ

Vol. 9, No 5

Journal étudiant publié par les élèves de l'école secondaire Sainte-Jeanne-des-Eaux

ÉDITION SPÉCIALE

92 % des élèves s'opposent à la fermeture du journal

La direction fait marche arrière et accorde carte blanche à l'équipe de rédaction

Un consensus semble se dégager à la suite d'un *vox populi* organisé par l'équipe du journal afin de faire le point sur son orientation et son éventuelle fermeture en raison des remaniements proposés par la direction. En effet, après avoir appris que la direction souhaitait abolir une partie du contenu, jugée «insuffisamment informative», l'équipe du journal s'est mobilisée et a lancé une vaste enquête afin de jeter de la lumière sur le sujet. Le résultat ? Une écrasante majorité des étudiants de Sainte-Jeanne-des-Eaux se dit satisfaite de la facture de la publication mensuelle et souhaite qu'elle demeure telle quelle ! «Moi, je le lis surtout pour suivre l'histoire d'Océane et faire le jeu où on doit repérer les sept différences», a révélé Masha, étudiante de 2e secondaire. Placée devant ces statistiques, la direction n'a eu d'autre choix que de faire marche arrière. «Le but du journal est bien entendu de communiquer de l'information aux étudiants, mais dans la mesure où un contenu plus divertissant permet de rejoindre un plus grand lectorat, nous ne voyons aucun problème à ce que celui-ci continue à être intégré dans le journal», a concédé le directeur, monsieur Blanchet.

— C'est toi, la responsable de ce cafouillage ?

Même si je n'avais pas encore vu le journal qui venait de paraître, j'en connaissais le contenu.

— C'était un travail d'équipe, tout le monde a travaillé fort pour sauver le journal, ai-je lâché, sur la défensive.

Ana, qui était restée près du cadre de la porte pour m'attendre, s'est alors avancée vers le bureau et s'est plantée à mes côtés de manière à faire front commun. Tu parles d'une *best* solidaire !

— De bons journalistes seraient aussi venus me rencontrer et auraient mentionné les raisons que j'avais soulevées pour abandonner le feuilleton, a craché la vipère. Il s'agit d'un autre travail bâclé signé «Justine Perron», si tu veux mon avis.

Là-dessus, elle a refermé son sac de cuir dans un bruit sec et a quitté la classe. Je vous jure, il devait y avoir de la fumée qui me sortait des oreilles. Je suis restée figée là, en proie à une rage aveuglante, ne sachant ni quoi dire ni quoi faire. Comme les élèves du cours suivant commençaient à arriver et me regardaient avec curiosité, Ana a mis sa main sur mon épaule et m'a gentiment guidée vers la sortie.

— Ne t'en fais pas, m'a-t-elle consolée. Elle voit bien qu'elle a perdu la bataille, alors elle est furieuse. Allez, laisse-la faire! On s'en reparle au dîner, d'ac?

Je lui ai adressé un regard penaud et inquiet avant de m'engouffrer dans le corridor qui mène au local de musique. Heureusement, ce cours a toujours pour effet de me calmer et, lorsque l'heure du dîner est arrivée, j'avais presque tout oublié. Presque...

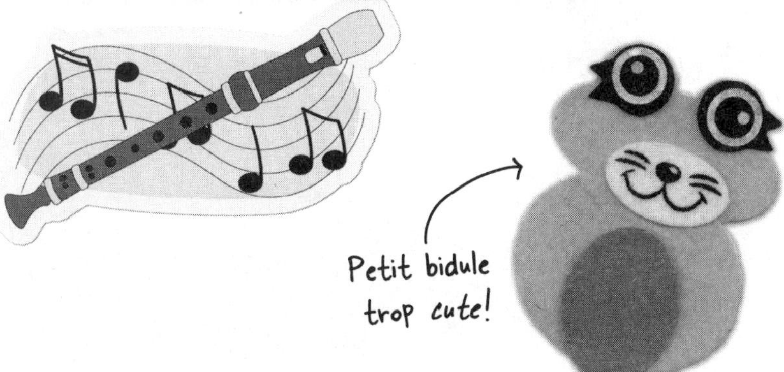

J'ai passé le dîner avec Ana. On n'a pas pu parler beaucoup, car plein de gens sont venus à notre table pour discuter du dernier numéro du journal, qui avait été distribué à l'entrée de la café. On m'interrogeait aussi à savoir si « l'histoire d'Océane » allait reprendre bientôt ! Je me sentais vraiment hyper importante ! ☺ Certains m'ont même demandé s'ils pouvaient obtenir les anciens numéros du journal, car tout ce brouhaha leur avait donné le goût de lire le feuilleton depuis le début. Finalement, en voulant me saboter, madame Péloquin m'avait plutôt rendu service et avait réussi à me dénicher de nouveaux lecteurs ! Incroyable ! L'Univers fonctionne vraiment de façon mystérieuse...

Mes étoiles seraient-elles en train de s'aligner ?

Il faudrait que je me renseigne auprès de l'équipe pour voir si on ne pourrait pas rendre les numéros disponibles en ligne. Si ça se concrétisait, madame Péloquin mourrait certainement d'une crise d'apoplexie !

*

Vendredi soir, Guillaume et moi avons plié bagage pour passer la fin de semaine chez papa. Une surprise devait m'attendre dans la chambre (il l'avait promis !) et j'avais trop hâte !

Et quelle surprise !!

Il m'avait acheté un édredon de Victoria Francès (que j'adore) !!!! TROP BEAU !! Et là, sur le lit (OK, *full* quétaine, mais moi, ça m'a remplie de joie) : une poupée trop *hot* de Spectra Vondergeist ! En plus, elle avait le visage super beau (des fois, je trouve la poupée ratée, mais celle-là était parfaite) ! Yé ! Ça commence bien le week-end.

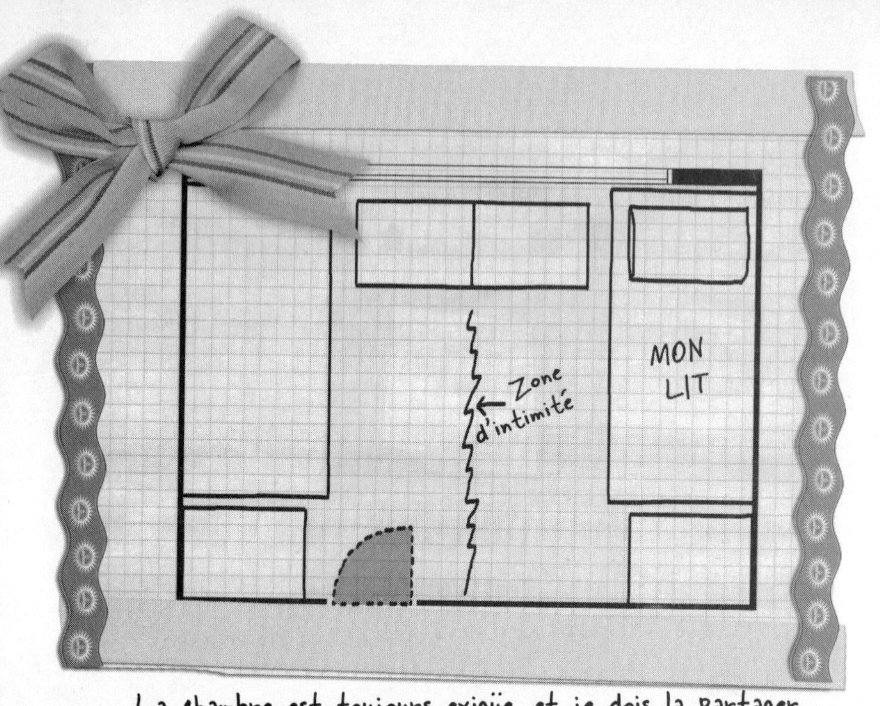

La chambre est toujours exigüe, et je dois la partager avec mon frère, mais peut-être qu'avec des ajustements, ça pourrait devenir plus vivable?

La première nuit chez mon père a été plutôt éprouvante. D'abord, avec tout ce paquet de bruits que mon frère et moi ne sommes pas habitués à entendre (tuyaux qui chantent, murs qui vibrent, klaxons de voiture, chicanes de voisins), il s'est avéré extrêmement difficile de s'endormir. Moi, quand je n'arrive pas à dormir, je me couche sur le côté et je m'imagine des scénarios, des histoires que je pourrais écrire. Éventuellement, le sommeil vient me cueillir. Mais mon frère, lui, quand il n'arrive pas à dormir, il parle!

— Jus? Tu dors? a-t-il chuchoté.

— Non, tu me parles, ai-je répondu, légèrement ennuyée d'avoir été dérangée dans mon plus récent scénario.

« Hmm? »

— J'arrive pas à dormir non plus.

— Eh ben! ai-je laissé échapper en feignant la surprise. Arrête de parler; tu vas voir, ça aide!

— Sérieusement, Jus... Est-ce que tu t'habitues à ça, tsé, le divorce?

J'ai ouvert les yeux et me suis levée sur un coude. J'ai dévisagé mon frère dans la pénombre. Les lumières extérieures des lampadaires de Saint-Moins-Creux filtraient à travers le rideau (que mon père venait d'acheter, à ma suggestion), me permettant de deviner des formes. Mon frère était étendu sur le dos, fixant le plafond. Il a alors tourné la tête vers moi.

J'ai étudié mon frangin un moment. Un fait venait de me frapper de plein fouet: Guillaume changeait. Lentement, mais sûrement. Était-il vraiment en train de devenir mature? En tout cas, une chose était certaine: il n'était plus tout à fait le petit frère impertinent que j'avais eu à endurer ces dernières années. Est-ce que le divorce lui avait fait «prendre un coup de vieux»?

Certificat d'Excellence
Attribué à :
Mon frère Guillaume
Pour :
Sa poussée de maturité soudaine
OFFICIAL SEAL OF EXCELLENCE

J'ai fini par hausser une épaule.

— On n'a pas vraiment le choix, lui ai-je répondu. Et puis, tu ne trouves pas que papa a l'air plus heureux?

— Oui, a-t-il acquiescé au bout d'un moment, mais je trouve que maman a l'air plus triste.

Il n'avait pas tort... Mais j'ai secoué la tête pour chasser ces pensées.

— Maman doit juste apprendre à s'adapter, comme nous. Ça ira, tu verras. Maintenant, couche-toi et dors.

Je me suis laissée retomber sur le matelas et j'ai tourné le dos à mon frère; je ne voulais plus qu'il me parle. Je souhaitais que cessent toutes ses questions et remarques qui me font réfléchir beaucoup trop. J'espérais juste le silence et le sommeil.

— Jus?

— Hmm? ai-je grogné.

— Ça te dérange si je joue un peu au PSP? Je vais mettre mes écouteurs. Ça va pas t'empêcher de dormir, promis!

Sa poussée de maturité n'a pas duré longtemps!

— Hmm, hmm, l'ai-je autorisé, fatiguée.

— Merci, a-t-il murmuré. Bonne nuit!

Ça devait bien faire des années que mon frère ne m'avait pas souhaité une bonne nuit! J'ai souri malgré moi. Mais j'ai quand même attendu d'entendre ses doigts «pitonner» sur la console avant de lui souffler, à mon tour:

— Bonne nuit, p'tit frère.

Samedi matin, j'ai appelé Érik pour l'aviser que je ne pourrais pas être présente au travail ce jour-là étant donné que je me trouvais chez mon père. C'est drôle... En signalant le numéro de la librairie, mon cœur battait à tout rompre et je me sentais *full* nerveuse à l'idée de lui parler au téléphone, alors que nous passons des journées entières à discuter quand nous travaillons ensemble. Rien que d'y penser, j'ai encore des nœuds dans l'estomac.

Érik m'a rassurée en disant qu'il n'y avait pas de problème et qu'on se verrait la semaine prochaine. Une partie de moi aurait aimé déceler un soupçon de déception dans sa voix...

En raccrochant, mon père – qui avait surpris ma conversation – a tout de suite suggéré :

— Tu ne devrais pas avoir à manquer ton travail... Hmm... Je vais en parler à ta mère, et on va voir si on ne peut pas plutôt faire une semaine chacun. Comme ça, puisqu'on se verrait toute la semaine une semaine sur deux, je n'aurais pas besoin d'encombrer tes week-ends d'activités familiales.

La perspective de ne plus rater une occasion de travailler à la librairie (et, avouons-le franchement, de passer du temps en compagnie d'Érik...), a momentanément allumé une étincelle de joie dans mes yeux. Puis le conte de fées a subitement disparu et cédé sa place à la réalité.

Cette nouvelle formule faciliterait peut-être mon horaire de travail, mais elle me forcerait à passer une semaine entière à l'appart de mon père, dans la même chambre que mon frère! Panique!!! Pendant une fraction de seconde, j'ai vu défiler devant moi toute ma vie, comme dans les films quand quelqu'un meurt. Je m'imaginais déjà avec une valise, prise entre deux adresses et sans domicile fixe, comme le sont la plupart des jeunes de mon âge dont les parents sont séparés. Une Justine errante, désorganisée... et triste.

Sans compter que mes effets de *scrapbooking*, perpétuellement éparpillés dans ma chambre et trop nombreux à déplacer, demeureraient inaccessibles 50 % du temps !

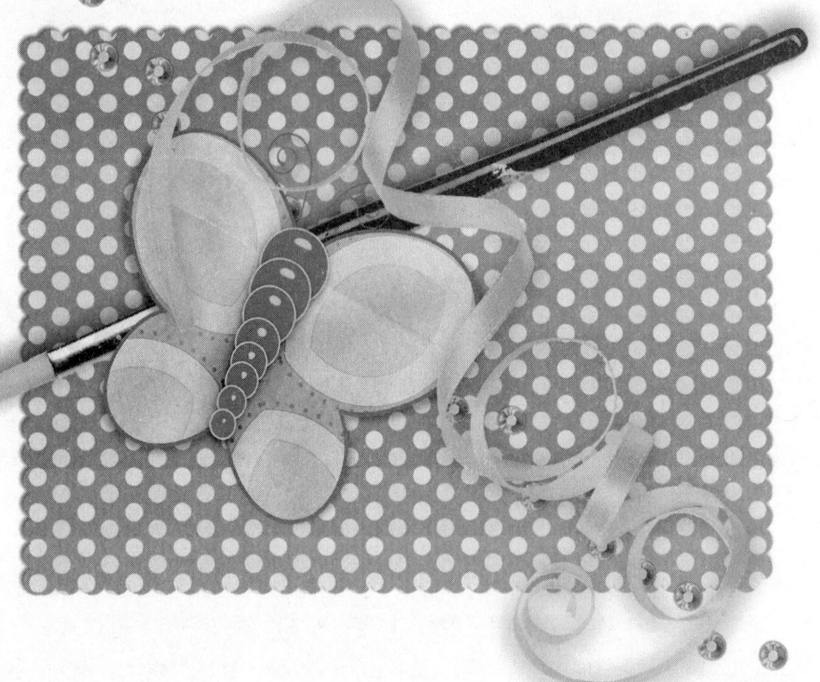

— Euh, non, non, c'est correct, me suis-je donc empressée de répondre. Vu que je ne suis pas une employée officielle, c'est pas grave si je manque le travail parce que j'ai pas d'horaire fixe. Vraiment, ce n'est pas nécessaire et ça ne dérange pas du tout Érik. En plus, ça me donnera plus de temps libre pour me consacrer à mes travaux, ai-je rajouté pour donner encore plus de poids à mon refus.

Mon père m'a regardée, pas trop sûr de comprendre. Heureusement, il n'a pas insisté et m'a simplement dit d'y penser.

*

Le reste de l'après-midi de samedi a été consacré à des activités d'intérieur, car les routes avaient été plus ou moins dégagées depuis la tempête. On a donc joué aux cartes, écouté des films, fait un peu de ménage et de rangement.

Vers 16 h, alors que Guillaume et moi regardions un film en pyjama, la sonnette a retenti. Mon père a tout de suite actionné le bouton qui déverrouille la porte principale, sans même vérifier qui se trouvait en bas. Il devait attendre quelqu'un...

Quelques instants plus tard, je l'ai entendu ouvrir la porte et parler tout bas avec une femme. Je commençais à présent à deviner: il s'agissait fort probablement de Kathy.

Comme de fait, les deux tourtereaux se sont pointés dans l'embrasure de la porte du salon, et Kathy nous a salués d'un geste de la main vague et d'un sourire timide. Bons joueurs, Guillaume et moi avons immédiatement mis notre film sur pause et nous nous sommes levés pour la saluer en souriant. Je me sentais prête à me renfrogner, car j'aurais aimé que mon père nous avertisse que Kathy viendrait faire son tour, mais j'ai toutefois gardé mon amertume pour moi et je l'ai accueillie en faisant comme si de rien n'était. Par contre, une partie de moi espérait de toutes ses forces que mon père et sa nouvelle blonde ne se mettraient pas à se minoucher devant nous.

— Salut, Kathy! l'ai-je saluée. On ne savait pas que tu viendrais... Avoir su, on se serait habillés, ai-je rajouté, à la blague.

Kathy s'est retournée vers mon père pour lui reprocher de n'avoir rien dit de leurs plans pour le souper.

— Raaaaayyy! T'aurais pu les avertir! l'a-t-elle taquiné.

Ses yeux pétillaient de bonheur, et elle semblait épanouie comme jamais. Il n'y a pas à dire, ces deux-là s'étaient trouvés et semblaient parfaitement amoureux. Malgré ma joie de voir mon père aussi comblé, j'ai ressenti un douloureux pincement en me rappelant que c'était désormais grâce à quelqu'un d'autre que ma mère.

Pour dissiper toute forme de malaise, je me suis empressée d'enjoindre Kathy à regarder le reste du film avec nous. Mon père et elle se sont donc immiscés sur le sofa aux côtés de Guillaume et moi.

Quand le film s'est terminé, nous nous sommes tous déplacés à la cuisine pour mettre la main à la pâte et préparer le souper. Kathy n'est pas une très bonne cuisinière, mais elle le prend avec un grain de sel. Mon père l'agaçait amplement, lui décrivant par exemple, étape par étape et avec force recommandations nounounes, comment tailler les légumes. C'était quand même *cute* de voir cette belle complicité. Je comprends mieux à présent ce que mon père essayait de m'expliquer...

Elle est quand même pas si poche que ça, mais presque... elle appelait les poivrons des « piments » !

Ceci n'est pas un piment.

Avec ma mère, il n'y avait plus du tout d'étincelles, moi-même je dois le reconnaître.

Nous avions tous beaucoup de plaisir ensemble. J'imagine que ce n'est pas trop surprenant, car nous connaissons Kathy depuis fort longtemps. Mon père, tout content de voir que mon frère et moi acceptions Kathy de la sorte, est passé derrière nous pour nous faire un câlin.

Quand même... malgré notre bonne humeur générale, j'étais contente de voir que Kathy ne passerait pas la nuit à l'appart. Elle est repartie vers 23 h en donnant un simple bisou (assez chaste tout de même) à mon père. Je crois que je pourrais m'y habituer... Tranquillement, doucement, pas trop vite... Kathy a mentionné qu'elle aimerait ça faire une sortie de filles avec moi, genre aller magasiner ou au spa. Je suppose que c'est une bonne idée.

Je me demande si ma mère est au courant, pour Kathy. Il faudrait que je tâte le terrain... On ne peut pas dissimuler la vérité pour toujours!

*

Dimanche matin, papa a fait un super déjeuner comme il en faisait autrefois quand j'avais, genre, 6 ou 7 ans. Son festin habituel comportait des œufs, des patates, des saucisses, etc. Après le déjeuner, il nous a emmenés au cinéma voir *Zombie malgré lui*. Ce n'était pas du grand cinéma, mais c'était drôle et nous avons passé un bon moment en famille (avec un *pop-corn*, évidemment!) Ensuite, nous sommes allés manger au restaurant Florentine de Saint-Moins-Creux. Leur brochette de poulet est trop débile! (si madame Beauchemin était encore ma prof, j'aurais fait l'effort de trouver un adjectif plus chic, comme « succulent », mais puisque je dois maintenant

Blanc de Volaille 16,95
Poitrine de volaille poêlée, vin blanc, crème et assaisonnement au choix : **Basilic, Pesto, Crème & Miel ou du Bistro,** servie avec riz et légumes chauds

Brochette du Bistro 17,95
Blanc de volaille en cubes, oignon, poivron, sauce au miel, servie avec riz, légumes chauds et quartiers de pommes de terre frits

As[illegible] Forestière .... [illegible]
Champ[illegible]tés au [illegible] bla[illegible] gratinée, [illegible]

[illegible]et [illegible]on sauce P[illegible]de .... 27[illegible]
Mig[illegible] votre goût acc[illegible]auds, d'une sauce au poivre et d[illegible] choix

Tartare 33,95
Mignon haché, additionné de condiments et d'épices, servi cru et accompagné de frites

Entrecôte à l'Échalote 23,95
Délicieuse entrecôte grillée, nappée d'un beurre onctueux à l'échalote, légumes chauds et accompagnement au choix

Terre et Mer 34,95
Médaillon de filet mignon, 2 langoustines et 3 crevettes géantes servis avec riz, légumes chauds et quartiers de pommes de terre frits

Duo des Mers 33,95
4 délicieuses langoustines et 5 crevettes à l'ail servies avec riz, légumes chauds et quartiers de pommes de terre frits

Brochettes de Crevettes 19,95
2 délicieuses brochettes de 10 crevettes servies avec riz et salade César

Assiette de Crevettes au Pernod 20,95
Des crevettes dans une sauce à la crème d'ail aromatisée au Pernod servies avec riz et légumes chauds

Assiette de Crevettes à l'Ail 17,95
6 délicieuses crevettes accompagnées de beurre à l'ail, servies avec riz, légumes chauds et quartiers de pommes de terre frits

Escalope de Saumon 19,95
Saumon grillé au four, sauce d'accompagnement, servi avec riz et légumes chauds

Filet de Sole Grillé au Persil Simple 18,95
Filet de Sole sauté au beurre, persil, servi avec riz et légumes chauds

Filet de Doré Amandine 22,95
Filet de doré sauté au beurre, garni d'amandes au beurre, servi avec riz et légumes chauds

Tout plat séparé en deux occasionnera des frais supplémentaires de 2.00$ au coût du repas

Un supplément de 0.50$ sera exigé par plat à emporter.

Pour les groupes de 8 personnes et plus, le pourboire sera ajouté à chaque facture subir madame Péloquin, à quoi bon? Elle me dirait sûrement que «succulent» est inapproprié pour telle ou telle raison, et me proposerait quelque chose de moche, comme «bon» ou «digeste»...)

Nous sommes ensuite retournés chercher nos effets chez papa, et il nous a reconduits chez maman. C'est vrai que c'est court, une fin de semaine... Ça pourrait être une bonne idée de faire une semaine chez l'un et une semaine chez l'autre. Ai-je vraiment écrit ça?! À l'aide! Mon crayon est possédé!

Bon, OK, ça pourrait être envisageable, mais seulement si j'avais ma propre chambre! Et de nouvelles fournitures de *scrapbooking*, peut-être? À négocier!

Cependant, il me semble que ça serait encore plus simple si les choses redevenaient comme avant, non?...

Voici une de ces journées dont on ne sait pas si elle a été bonne ou mauvaise (un peu comme le film bizarre *Red Lights*, que j'ai détesté parce qu'il m'a laissée sur ~~mon appétit~~ ma faim – en tout cas, appétit ou faim, ça veut dire la même chose, je me comprends! –, mais que j'ai tout de même adoré à cause de son étrangeté...) Enfin, c'est peut-être juste parce que c'est lundi!

Ce matin, tout allait bien (du moins, aussi bien que les choses peuvent aller le lundi matin). Je me suis levée à temps, j'ai pris un bon déjeuner santé, je suis arrivée à l'heure pour l'autobus, etc. Premier cours: Histoire. La matière est plate et le prof, endormant, mais tout s'est déroulé presque sans anicroche si on ne tient pas compte des deux nunuches jumelles (Mérédith et Isabelle) qui rigolaient dans ~~le~~ fond de la classe et

dont je sentais les regards posés sur moi (c'était peut-être juste moi qui était parano encore, hein? Alors passons). Premier battement (c'est le nom officiel des «pauses» entre les cours): Daphnée est venue me trouver dans le couloir et, sans me regarder, m'a flanqué un papier dans la main en me glissant tout bas: «*Thought you oughta know*» (elle aurait pu dire, genre: «J'ai pensé que tu devrais le savoir», mais elle s'exprime souvent en anglais parce que, selon elle, c'est plus *cool* que le français et ça la prépare au jour où elle sera célèbre à Hollywood... Pfff! *Whatever*...), puis elle est repartie sans demander son reste.

Mon premier réflexe a été de jeter le truc (avec Daphnée, il n'y a pas vraiment de surprise: ce morceau de papier recelait soit une insulte, soit une rumeur mensongère), mais, au dernier instant, la curiosité l'a emporté...

Je me suis donc rapidement dirigée vers les toilettes (ma nouvelle forteresse de solitude depuis l'épisode «premières menstruations»). J'ai croisé Ana en chemin, mais je me suis excusée en lui lançant que je n'avais pas le temps, et je me suis enfermée dans une des cabines sans jeter un seul regard aux «pitounes» de l'école qui s'étaient «garochées» devant les miroirs pour se retaper (parce qu'on s'entend que, à 15-16 ans, un peu de crayon contour *smudgé* autour d'un œil, y'a pas de plus grand drame!)

Je me suis assise sur la lunette de toilette (mot que j'ai toujours trouvé drôle; des lunettes, c'est fait pour voir, pas pour s'asseoir dessus!) et, mes livres sur les genoux, j'ai lentement déplié le papier, le cœur battant. Quelle nouvelle horreur allais-je encore découvrir?

Le papier présentait un dessin de moi (plutôt moche) si j'en juge par le contexte (sinon, pourquoi Daphnée me l'aurait remis à *moi*?) Je ne sais pas si ce gribouillage était censé être offensant (il était tellement mal exécuté que je n'arrivais pas à me sentir insultée par les grosses fesses et la petite poitrine), mais le texte en-dessous l'était.

Il s'agissait de deux lignes (aux lettres parfaites, mais à l'orthographe horrible), pas plus, écrites à la main par Daphnée.

G ressu se dessein
de Meredith et Isabelle
dans le cour d'histoire.
Elles racontes à tous
le monde que Raphaël
a découvère que tu
porte des brassières
rembourés.

L'insulte était vraiment infantile (c'est moi ou mon vocabulaire s'améliore?), mais j'ai quand même senti mon cœur se serrer. Pourquoi raconter une telle chose? Est-ce que ces rumeurs provenaient vraiment de Raphaël?! Était-il en train de me partir une réputation de fille facile aux soutiens-gorges rembourrés? Ou pire encore, est-ce qu'il se promenait dans l'école en répandant des histoires intimes et véridiques sur moi?!? (Genre que ma chambre est – ÉTAIT – rose nanane avec des rideaux en dentelle et des animaux en peluche!)

« Du calme, Justine, ai-je tenté de me raisonner. N'oublie pas qui t'a remis ce papier: la vipère menteuse en personne! » Ç'a un peu aidé, alors j'ai fourré l'affreux texte dans le fond de ma poche et me suis dirigée vers mon deuxième cours: Maths...

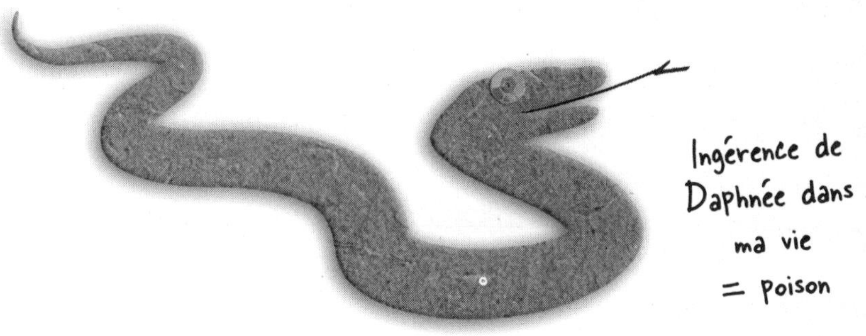
Ingérence de
Daphnée dans
ma vie
= poison

(Oups! Ma mère m'appelle. Je reviens...)

DES ENNEMIS ET UNE NOUVELLE ALLIÉE

Bon, alors, où en étais-je? Ah oui! Maths...

Quand je suis arrivée en classe, tout le monde était là. Je ne peux pas le jurer (car je n'osais regarder personne en face), mais j'avais la ferme impression que, en me voyant, on «riait sous cape» (expression empruntée à ce roman médiocre que j'ai lu récemment). J'ai quand même pris place, et le prof a entamé la matière du jour.

Louis Cyr a déjà soulevé sur son dos une plate-forme où se tenaient dix-huit hommes! Incroyable, hein?!

J'ai dû déployer des efforts surhumains dignes de Louis Cyr (on a parlé de lui pendant le cours d'histoire) pour river toute ma concentration sur les explications et les problèmes mathématiques. Si bien que j'ai presque réussi à faire abstraction des autres élèves de ma classe (même des «bécoteux»!) La cloche a sonné et je me suis précipitée vers la sortie. Ana m'attendait dans le couloir.

— Pourquoi tu m'as fuie comme ça tantôt? m'a-t-elle demandé de but en blanc. Qu'est-ce qu'il y a?

— Je me sens pas super bien aujourd'hui.

Je déteste mentir comme ça à Ana, mais puisque j'ignorais si les dires de Daphnée étaient vrais ou faux, je n'avais pas envie de m'attirer les ~~railleries~~ remontrances (mot plus sophistiqué) de ma *best* parce que j'agissais encore une fois en véritable parano.

— Qu'est-ce que t'as? Est-ce que je peux faire quelque chose?

— Non. Non, merci. Ça va.

— Bon... D'accord... On va en science, donc?

(Est-ce que j'avais déjà mentionné qu'Ana est dans ma classe de Science et technologie? Non?

Bon, voilà qui est réparé! Mieux vaut tard que jamais!)

— Euh, oui, ai-je répondu sans vraiment y penser.

On a traversé le deuxième étage en vitesse pour ne pas arriver en retard. J'ai gardé le silence tout le long en ruminant. Je voyais bien qu'Ana se doutait qu'il y avait quelque chose de louche dans mon attitude, mais par respect elle n'a pas essayé de me faire parler davantage. Le cours a commencé, et je me suis sentie soulagée, confiante que la matière allait au moins me changer les idées. Erreur!

La première moitié du cours s'est bien déroulée, jusqu'à ce qu'un des élèves au fond de la classe éternue. Là, il y a un autre élève de la *gang* de Mérédith qui a lancé, *full* fort:

— À tes souhaits, Frank. T'as besoin d'un Kleenex? J'en ai pas, mais je suis sûr que Justine en a, *elle*.

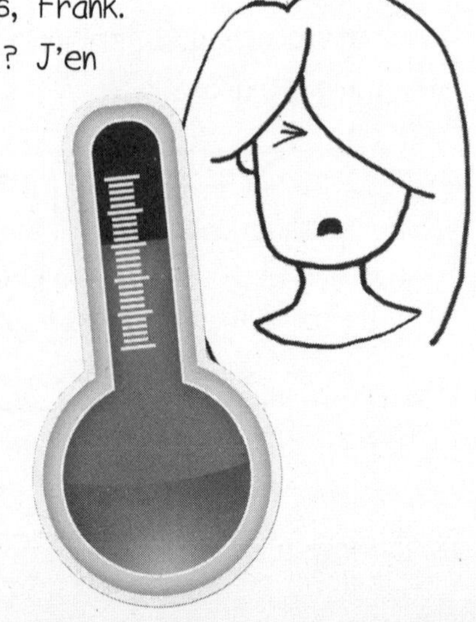

Tout le monde s'est esclaffé.

Mon niveau de malaise et d'humiliation? Au moins un million sur dix.

Ana s'est alors tournée vers moi et m'a demandé ce qui se passait. Je n'ai pas trouvé le courage de lui répondre. Je ne voulais qu'une chose: m'enfuir. Heureusement, Bruno – notre prof super *chill* – s'est adressé au groupe en fronçant les sourcils:

— Quelqu'un veut m'expliquer en quoi c'est drôle, que je puisse rire aussi? a-t-il demandé.

Mais personne n'a été dupe; ce n'est pas le genre de *joke* qu'on peut partager avec un prof. (Du moins, pas sans conséquences…) La question a eu l'effet d'une douche froide, et tout le monde s'est calmé. Mais Bruno n'a pas lâché le morceau pour autant…

— Très bien, a-t-il dit en haussant les épaules au bout d'un moment. Moi, je ne niaise pas avec l'intimidation, c'est très sérieux. La situation n'en restera pas là, croyez-moi. Je compte aviser la direction afin qu'elle entame les démarches nécessaires auprès des personnes concernées.

C'était assez perturbant, je l'avoue, de voir Bruno Marchand se comporter de manière si autoritaire. Il est si relax d'habitude avec nous, mais là, on voyait qu'il ne trouvait pas la situation drôle du tout! Il a

ensuite repris son cours, mais sur un ton beaucoup plus sérieux. J'aurais voulu fondre tellement j'étais accablée par la honte. Ana me regardait avec inquiétude et m'envoyait plein de signaux.

À la fin de la période, j'allais quitter avec Ana lorsque Bruno m'a interpellée:

— Justine, tu veux bien rester une minute?

Voyant que je ne réagissais pas, ma *best* a glissé son bras sous le mien et m'a accompagnée à l'avant tandis que je détournais les yeux pour ne pas croiser le regard des imbéciles qui partagent mon cours.

Quand j'ai relevé les yeux vers Bruno, j'ai vu qu'il n'était pas seul: Mélodie - une fille hyper timide - était presque entièrement cachée derrière notre prof qui se trouvait à demi assis sur son pupitre.

— Mélodie a quelque chose à nous dire, a brièvement expliqué Bruno.

— Je... je ne voulais pas parler devant toute la classe, a-t-elle balbutié tout bas en se tortillant gracieusement les mains. Je voulais juste expliquer à Bruno pourquoi tout le monde riait tantôt... parce que, ben, parce que je trouve pas ça correct ce qui s'est passé.

Mélodie est tellement gênée et menue que ça lui donne un air fragile. Je voyais à quel point ça la mettait mal à l'aise de parler, alors je suis venue à sa rescousse.

— C'est correct, Mélodie, l'ai-je apaisée, je suis au courant.

Puis je me suis tournée vers Bruno pour lui expliquer:

— Une rumeur à mon sujet raconte que je porte des soutiens-gorges rembourrés... Je crois que je suis mieux de m'attendre à plusieurs *jokes* de Kleenex au cours des prochaines semaines, hein? ai-je achevé en lançant un clin d'œil à Mélodie qui, voyant que je prenais l'attaque contre ma

Au moins je n'ai pas un bustier en métal comme elles!
Ça me prendrait des mouchoirs en dentelle!

personne avec un grain de sel, s'est mise à rire doucement.

Ana trépignait d'indignation à mes côtés.

— Ben voyons! Est-ce qu'ils vont te lâcher, un moment donné?! Qui donc a pu partir une rumeur aussi puérile? (Ma *best* aussi emploie un beau vocabulaire!)

— Je sais pas trop... Daphnée m'a remis une note qui provenait de Mérédith et d'Isabelle, mais il semble que Raphaël soit à l'origine de la rumeur. Ce ne sont que des ouï-dire, je ne suis sûre de rien...

— Bon, a tranché Bruno. Je ne veux pas que tu te laisses faire, Justine, tu m'entends? Tu devrais faire une plainte au directeur...

— Je sais, ai-je concédé, mais je préférerais aller à la source avant et m'assurer que je n'accuse pas des gens à tort.

Bruno a semblé impressionné par ma réponse et m'a demandé de le tenir au courant, car il allait quant à lui compléter un rapport pour dénoncer la situation et s'assurer que ça ne dégénère pas.

Mélodie nous a accompagnées jusqu'à la café et a continué à fournir des détails à Ana, qui n'était pas au courant de l'histoire et qui voulait tout savoir. Ça me faisait du bien de voir que je pouvais avoir une alliée autre qu'Ana et que je n'étais pas la seule à trouver la *gang* de Daphnée insignifiante.

Mélodie a mangé son dîner avec nous. Comme elle est souvent la cible de railleries et de moqueries, elle compatissait amplement à ma situation. Ana la félicitait d'avoir eu le courage de dénoncer les coupables auprès du prof. Quant à moi, je gardais le silence, un peu perdue dans mes pensées. Il me faudrait trouver Raphaël et aller au fond de cette histoire...

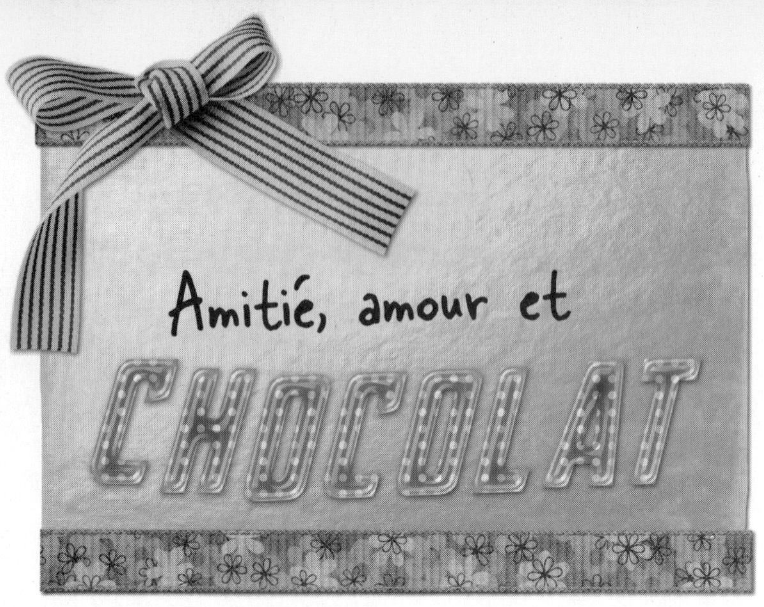

Il s'est écoulé presque deux semaines depuis mon ~~entrée précédente~~ billet précédent. (Apparemment, « entrée » n'est pas français... Il s'agit d'un anglicisme qui vient du mot « entry » que les anglophones utilisent dans des documents officiels comme des journaux de bord, etc. La vraie traduction de *post* est donc « billet »...)

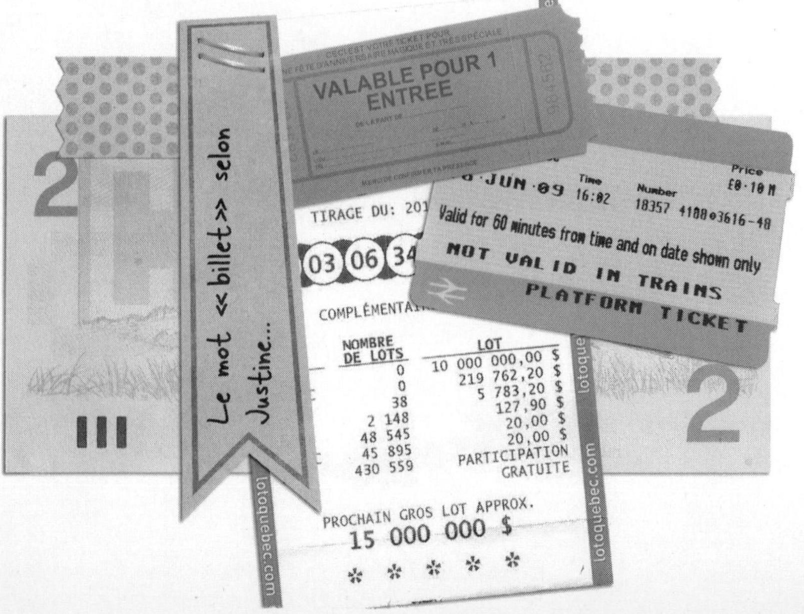

Nous sommes donc samedi soir, et si j'ai été aussi absente ces derniers temps, c'est que plusieurs choses sont en train de changer dans ma vie.

D'abord, j'ai réussi à tirer au clair l'histoire des soutiens-gorges rembourrés. À la fin de mon cours de maths de lundi, j'ai abordé Raphaël et je lui ai demandé si on pouvait discuter (heureusement pour moi, la Nunuche s'était déjà sauvée à son prochain cours).

— Ah... a-t-il constaté d'un air gêné. J'pense que je sais de quoi tu veux parler...

— Ouais, sûrement, hein? Coudonc, c'est quoi, cette histoire-là?

— Sérieux, Justine, c'est pas ma faute! Tu connais Mérédith pis Isabelle? Sont un peu bébés des fois...

Au fond, je n'étais pas trop étonnée de sa réponse. Raphaël n'est pas méchant, il est juste incapable de s'affirmer devant ses amis. C'était d'ailleurs la principale raison de notre rupture.

— Ah, je m'en doutais. Je voulais juste vérifier avec toi avant, car Bruno m'a suggéré de porter plainte, et je ne voulais pas t'accuser à travers mon chapeau (hum, c'est pas tout à fait

C'est lui le coupable!

la bonne expression, mais je crois qu'il m'a comprise).

— Merci. Je sais pas quoi dire... Je vais essayer de demander aux filles d'arrêter leur niaisage...

On s'est ensuite quittés, et je me suis vite dépêchée de regagner mon prochain cours avant la cloche. En définitive, je ne crois pas que je porterai plainte. Il me semble que ça ne ferait que jeter de l'huile sur le feu. Et puis, comme je suis une fille positive (avec mon don pour faire des gaffes, il faut bien garder le moral!), je me dis que toute cette histoire a quand même eu du bon puisque ça nous a permis, à Ana et à moi, de nous faire une nouvelle amie: Mélodie Therrien.

Après son intervention auprès de Bruno Marchand pour tenter d'expliquer la blague pas drôle qui avait été lancée pendant le cours, ma *best* et moi l'avons «adoptée» sur-le-champ! Honnêtement, je n'arrive toujours pas à m'expliquer comment il se fait que nous n'avions jamais remarqué Mélodie auparavant. Il faut dire qu'elle passe un peu inaperçue... Pas parce qu'elle est transparente comme moi, mais parce que Mélodie est délicate, féminine et silencieuse comme une poupée de porcelaine

Nous sommes désormais trois. Toutes pour une et une pour toutes! Il ne manque plus que D'Artagnan... hi hi!

(lorsqu'elle parle, sa voix est douce et mélodieuse comme celle d'une princesse Disney! Je suis sûre qu'elle doit chanter super bien...)

Donc, Mélodie s'est jointe à notre duo, maintenant un trio. On a plein de choses en commun (malheureusement, elle aussi devient parfois la victime numéro un des intimidateurs de l'école). Ana et elle adorent toutes les deux les mangas, mais Mélodie aime comme moi les histoires dans le genre *fantasy*. Mélodie est enfant unique comme Ana et elle fait souvent des voyages. Mélo (comme je la nomme maintenant) a aussi découvert le *scrapbooking* à Noël (elle a reçu un kit en cadeau), et elle m'a demandé si elle pouvait venir chez moi pour que je lui montre mon journal et tout mon attirail pour décorer les pages. Il y en a beaucoup qui disent que, dans un groupe de trois, il y a toujours une personne qui se sent comme la cinquième roue du carrosse, mais ce n'est absolument pas le cas pour nous! C'est quand même étonnant, surtout si on considère à quel point l'amitié entre Ana et moi est fusionnelle.

Nous dînons ensemble tous les midis, et Mélodie nous a même inculqué les rudiments d'un jeu de cartes qui s'appelle «L'as au roi». Je perds pratiquement toutes les parties, mais on rigole bien! Ça fait ressortir le petit côté compétitif d'Ana... Elle a vraiment beaucoup d'intuition! Je ne voudrais pas la voir dans un casino; avec sa super intelligence, c'est sûr qu'elle donnerait des sueurs froides au croupier!

Jeton que ma grand-mère avait ramené de son voyage à Las Vegas.

Parmi les autres rebondissements de ma vie… j'ai travaillé à la librairie le week-end dernier. Bon, j'avoue, il n'y a là rien d'extraordinaire, si ce n'est que, depuis que j'ai réalisé que je ressens une certaine attirance pour Érik, je m'enlise dans la confusion et la gêne.

Quand je suis arrivée à L'Évasion samedi, Érik se trouvait dans l'arrière-boutique. Comme ça faisait un bout de temps que je n'étais pas venue, il y avait plusieurs nouveautés sur les tables près de l'entrée, alors je me suis attardée à les observer tout en enlevant tranquillement mes mitaines et mon foulard.

Je ne prêtais pas vraiment attention et je me dirigeais à tâtons vers l'arrière du magasin, trop occupée que j'étais à contempler les nouveaux arrivages, de sorte que je suis tombée nez à nez avec Érik et que nous avons presque foncé l'un dans l'autre.

Je me suis reculée et j'ai levé les yeux... pour m'apercevoir qu'il tenait un ÉNORME bouquet de fleurs (!!!!!!) dans ses mains (c'est sans doute pour ça qu'il ne m'avait pas vue!)

Sur le coup, j'ai naïvement cru que ces fleurs m'étaient destinées.

Je suis restée là, les bras le long du corps, la bouche ouverte, complètement estomaquée.

Érik a vu mon air de biche-affolée-par-les-phares-d'une-voiture et a tout de suite expliqué:

— Ah, te voilà! J'attendais que tu arrives! Ne t'inquiète pas, ce ne sont pas des fleurs de salon mortuaire! Au contraire, mon oncle va beaucoup mieux! Il devrait revenir au travail très bientôt. Je m'en vais justement déjeuner chez lui, alors je pourrai te donner de ses nouvelles plus tard.

Ma ~~balloune~~ bulle a pété si fort que je suis certaine que tout Saint-Creux l'a entendue. J'ai comme senti une déflagration entre mes deux oreilles et j'ai chancelé en bredouillant :

— Donc, les fleurs... Euh...

— Sont pour Gilbert ! Madame Gagnon les a apportées hier parce qu'elle avait entendu dire que mon oncle allait revenir travailler. Je pense que madame Gagnon a un œil sur lui, a-t-il ajouté dans un murmure complice, même si nous étions seuls dans la librairie.

Il m'a alors lancé un curieux regard, comme s'il avait compris la véritable raison de mon air catastrophé.

— Pourquoi ? Tu pensais qu'elles étaient pour quoi, ces fleurs ?

— Oh ! Pour rien ! ai-je menti avec empressement. En fait, j'ai vraiment cru qu'elles étaient pour le salon funéraire, c'est pour ça.

Bravo ! Tu patines vite, ma Jus ! T'as jamais pensé jouer au hockey ?...

— Ah ! a laissé tomber Érik avec un air à demi convaincu. OK !

À plus! Je reviendrai vers l'heure du dîner! a-t-il lancé en quittant.

Je me suis déshabillée dans l'arrière-boutique, et ça m'a pris tout mon petit change pour me remettre de mes émotions. Quelle dinde je fais, tout de même! Comment ai-je pu croire, un seul petit instant, qu'Érik pourrait s'intéresser à moi et me faire une déclaration d'amour en brandissant des fleurs? Trop romantique! Ce n'est pas la vraie vie! Voyons, Justine! Il est où, donc, mon palmarès de bévues, que j'ajoute celle-ci à la liste?!

Bon, c'était quand même la première fois que je me retrouvais seule dans la boutique et j'ai chassé Érik de mon esprit pour me concentrer sur la tâche qui m'attendait. Je ne voulais quand même pas me faire honte en trahissant la confiance de mon «patron»!

Quand Érik est revenu, les choses étaient HYPER inconfortables... J'espérais de tout cœur qu'il n'avait rien remarqué, lui qui semble avoir le don de

Oh non!
Je mange mes
émotions!

lire dans mes pensées... *OMG*, je fais quoi s'il sait déjà? Est-ce qu'il a tout compris et n'a rien dit parce que je ne l'intéresse pas?

Bon, je *freake* encore, moi, là. Je me calme et je pense à autre chose.

*

Pour passer le temps et me changer les idées, j'ai repris la plume (c'est-à-dire que je me suis remise à écrire des histoires inventées plutôt que de déblatérer sur ma vie). J'avais un peu abandonné la rédaction depuis la tentative de putsch (ça signifie «coup d'État armé», ce qui est tout à fait approprié dans ce cas-ci si on se souvient de quelle façon madame Péloquin a tenté de me déloger de mon poste) au journal. L'exercice s'est avéré plus difficile que je ne le croyais. Mon cerveau était comme rouillé et les jolies phrases ne me venaient pas aussi facilement. Mais c'était peut-être juste parce que le cœur n'y était pas...

~~Disposés en cercle~~

Formant un cercle parfait autour ~~d'un feu~~ d'un foyer improvisé par lequel s'échappaient des langues de feu d'un bleu surnaturel, les Mages d'Asper interpellèrent Océane d'une voix caverneuse semblant venir ~~de l'autre monde~~ d'outre-tombe.

– Est-ce bien toi, la fille aux cheveux d'or et de lumière, qui fabrique des potions dangereuses ? aux vertus traîtresses ?

Océane s'avança, le port de tête altier et la démarche fière. Une force inouïe émanait d'elle, et les mages ~~percevaient~~ perçurent son auréole lumineuse, signe d'une très grande puissance. Elle s'exprima sans défaillir devant ses juges :

– Mes incantations ne sont point dangereuses, puisqu'elles sont la vérité... Je ne fais que révéler aux yeux de tous la véritable nature des êtres et des choses.

Décidément, c'est assez intense...

En me relisant, je me suis rendu compte que je faisais un peu la transposition de mes propres sentiments. Comme quoi l'écriture constitue un excellent exutoire !

Ah, je capote trop!!! Toutes mes émotions précédentes se sont envolées pour céder la place à l'extase la plus totale! La joie délirante! Le bonheur féérique! (Non, ça ne concerne pas du tout Érik...)

Je viens de parler avec ma *best*, et... (roulement de tambour) ses parents m'ont invitée à me joindre à eux lors de leurs prochaines vacances à Walt Disney World cet été!!!

La vie est trop belle! ☺

Y'en a qui trouveraient sûrement ça bébé mais, pour moi, c'est comme la terre promise! C'est le monde du rêve, de la magie, de l'enfance, de la fantaisie, des manèges fous, du soleil, des palmiers et de la chaleur! Sans compter que je suis une *fan* finie de Disney! (Je ne l'ai pas déjà dit, ça? C'est l'âge; je radote...) Donc voilà: j'ai la possibilité d'aller à Disney cet été avec ma *best* et ses parents!! Si j'ai bien compris, le père d'Ana a obtenu un gros bonus et c'est pour ça qu'ils peuvent se permettre de m'emmener. Je n'aurai que mon entrée au parc (c'est quand même dispendieux) et mon magasinage à débourser. Les Kimura paient l'hôtel, la bouffe et le billet d'avion! Ils sont trop géniaux, les parents d'Ana. Ils me traitent vraiment comme leur fille, parfois. ☺

J'ai aussitôt supplié ma mère pour qu'elle accepte. J'ai promis de mettre de côté tout ce que je peux! Pas question de rater une occasion pareille! Elle a dit qu'elle en parlerait à mon père, mais qu'*a priori* elle ne voyait pas pourquoi il refuserait.

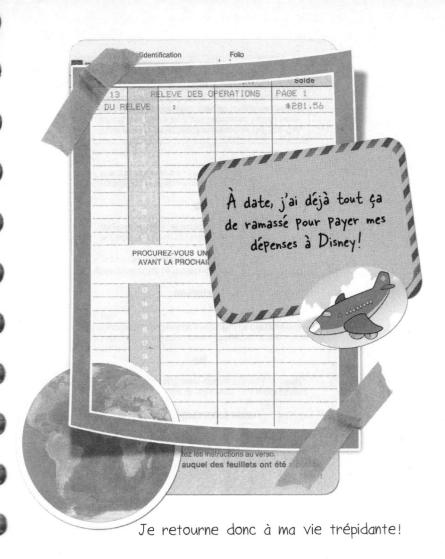

À date, j'ai déjà tout ça de ramassé pour payer mes dépenses à Disney!

Je retourne donc à ma vie trépidante!

Je ne sais pas ce qui se passe avec l'Univers, mais ma vie est maintenant excitante et pleine de boosts d'adrénaline, comme dans les montagnes russes!

Bon, le propre des montagnes russes, c'est qu'une fois rendu en haut il ne reste plus qu'à redescendre... Et là, présentement, je suis dans le creux pas à peu près...

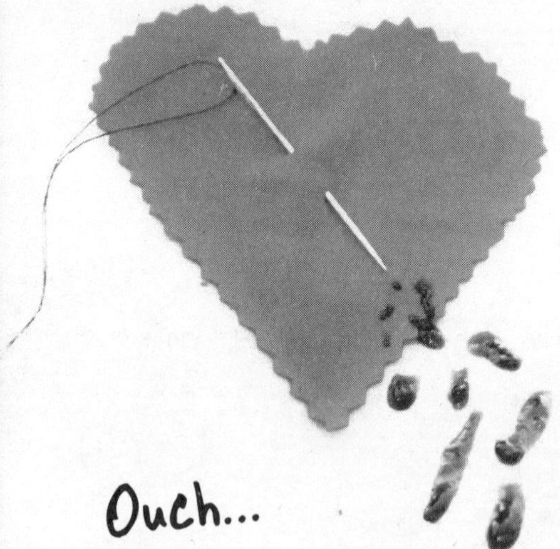

Je ne pensais pas que ça m'abattrait de cette façon-là, mais quand je l'ai appris, j'ai vraiment senti mon cœur transpercé de part en part.

Érik va bientôt quitter Saint-Creux. (Je ne vais donc pas me faire *bumper* et je conserverai mon emploi. Je suppose que je devrais m'en réjouir...)

Mais pire que tout : je crois bien qu'Érik a une blonde.

Elle s'appellerait Christine. Je l'ai surpris au téléphone avec elle aujourd'hui. Je suis arrivée au magasin à l'improviste, et il a eu l'air gêné quand il m'a aperçue. Il a rapidement raccroché puis s'est excusé en me disant :

— C'était mon amie Christine. Elle voulait savoir quand je revenais à Montréal.

Voilà ce que griffonnait Érik alors qu'il était au téléphone avec Christine…

J'essaie de déchiffrer, mais je n'y arrive pas trop. Est-ce un cœur, que je vois là ?

Mouais... Non seulement il prépare son départ, mais en plus il y a quelqu'un qui l'attend là-bas. Je parie qu'elle est super intéressante et intelligente, comme lui, sans compter qu'elle doit être *cool* et mature, hyper belle, genre, cinq pieds sept avec de longs cheveux soyeux, de grands yeux bleus et une bouche pulpeuse, en plus d'être mince et d'avoir de belles formes.

**?/$%*! Pourquoi elles existent, ces filles-là?! Quelles chances ont les filles ordinaires comme moi à côté d'elles?!

Argh! Serais-je en train de me taper une crise de jalousie aiguë, là?

Je me demande bien quand monsieur Dumas reviendra travailler... J'ai jusqu'à quand pour profiter de la présence d'Érik?

soupir...

Un adage en anglais dit: «*Be careful what you wish for*» (en français, ça donne à peu près «Prends garde à tes souhaits, car ils pourraient se réaliser»...

Monsieur Dumas m'a téléphoné pour me dire qu'il était de retour à la librairie!

février

LUNDI	MARDI	MERCREDI	JEUDI	VENDREDI	SAM/DIM
28 janvier	29	30	31	1er février	2/3
4	5	6	7	8	9/10
11	12	13	14	15	16/17
18 Jour de la Famille	19	20	21	22	23/24
25	26 Zut...	27	28		
4					

Monsieur Dumas semble aller beaucoup mieux. Il a appris à relaxer, apparemment. Mais il reste quand même faible, et les médecins lui ont interdit tout effort. Ainsi, les arrivages de livres de la semaine devront m'attendre patiemment dans l'arrière-boutique jusqu'au samedi matin, puisque monsieur Dumas ne peut pas soulever les boîtes. Heureusement pour lui, le mois de février est une période creuse et les éditeurs ne publient pas beaucoup de nouveaux livres.

Érik n'est pas encore parti, mais ça ne saurait tarder; je l'ai entendu parler avec monsieur Dumas en fin de semaine et il doit retourner bientôt à Montréal. On aura passé de chouettes semaines... qui, malheureusement pour bibi, ne se solderont pas par une histoire d'amour.

Enfin, c'est peut-être mieux ainsi; j'ai encore besoin de temps pour moi, je crois, avant de recommencer à faire confiance à un gars... Je veux bien croire que j'ai adopté l'attitude «je m'en fous» ces derniers mois, mais avec tout ce qui se trame contre moi dans les corridors de Sainte-Jeanne-des-Eaux, ma confiance en autrui s'en trouve quand même ébranlée!

Anyway... Je n'ai pas trop envie de parler de l'école, ce soir. C'est la relâche, la semaine prochaine, et je crois que ça me fera du bien de ne pas remettre les pieds ~~là~~ dans cet établissement pour un petit bout...

Côté amitié, Ana, Mélo et moi sommes devenues presque inséparables. Le midi, c'est assez rare maintenant qu'on mange avec quelqu'un d'autre. Notre gang de *geeks* est toujours dans les parages, mais comme ils ne s'intéressent pas tellement à nos histoires de filles, ils mangent un peu plus loin et viennent parfois nous rejoindre pour une bonne partie d'«as au roi». Mine de rien, je trouve qu'on a l'air plutôt *cool*, à jouer aux cartes à la café. On ressemble à des cégepiens qui sèchent leurs cours!

Mélodie se «dégêne» lentement avec les gars de la *gang* et, j'avais raison, elle chante super bien! Elle a pris des cours, mais elle n'ose pas poursuivre dans cette voie (ha! ha! voie, voix... OK, il est tard, d'accord?! Alors *exit* les jeux de

J'aimerais trop ça l'entendre chanter ce morceau!

COLUMBIA
LONG PLAYING 33⅓ r.p.m. RECORDING
COSÌ FAN TUTTE
MOZART
A line-by-line libretto in
Italian & English
Price 6/-
Series CC319

Oui... j'ai piqué ce cahier dans les vinyles de mon père! Il ne les écoute jamais, de toute façon!

mots intelligents!) Mélodie raconte que ses parents la découragent, car peu de gens peuvent réellement percer dans ce domaine et gagner leur vie, à moins d'être une super vedette. Je ne suis pas d'accord avec eux!

Quand on aime ce qu'on fait, on trouve toujours des débouchés. (Je suis chanceuse car, ma mère étant peintre dans ses loisirs, elle serait vraiment mal placée pour me dissuader de devenir écrivaine...) J'ai bien l'intention d'encourager Mélo (et de la pousser un peu s'il le faut) à poursuivre son rêve parce que je trouve que ça serait dommage qu'un tel instrument ne soit jamais entendu (surtout quand on pense à tous ceux et celles qui miaulent dans leur micro sans pouvoir aligner deux notes correctement et qui sont *full* populaires). Qui sait? Peut-être qu'un jour le nom de Mélodie Therrien sera connu mondialement!

	Mélo	Jus	Ana
1	24	0	11
2	25	0	39
3	35	0	46
4	64	39	46
5	85	43	46
6	138	69	36
7	173	69	39
8	173	123	50
9	163	144	98
10	164	145	98
11	165	147	100
12	165	155	103
13	155	198	139
	+16	+59	0

Dans ce jeu, c'est celui qui obtient le moins de points qui gagne. Ana est trop forte!

Si jamais elle devient célèbre, ce bout de papier écrit de sa main vaudra une fortune! C'est le fun de fabuler, hein?)

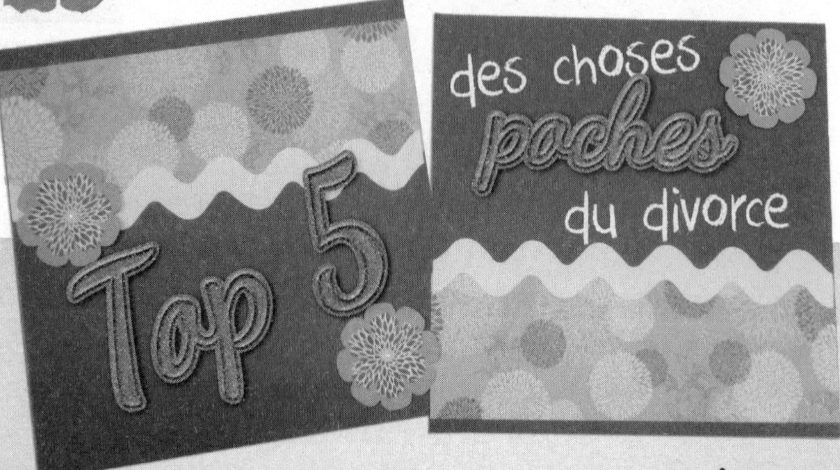

1) vivre en garde partagée ou voir son père deux fois par semaine

2) faire une croix sur les voyages en famille (on n'en faisait pas vraiment, mais là les chances qu'on fasse un voyage ensemble sont devenues nulles)

3) garder des secrets, comme ne pas avouer à notre mère que notre père a une nouvelle blonde

4) faire plus de ménage?!#$%#@#%+?

5) ressentir toujours ce fichu sentiment d'abandon qui plane dans un recoin du cœur...

Dans un tout autre ordre d'idées, l'approche d'une semaine de relâche bien méritée a été entièrement gâchée par ma mère, qui s'est mise en tête de nous occuper. Selon elle, il semblerait que les tâches ne soient pas réparties adéquatement, et que Guillaume et moi devrions faire davantage notre part pour entretenir la maison, maintenant que mon père ne peut plus contribuer au ménage pour cause de il-ne-vit-plus-avec-nous. Une autre conséquence super le *fun* du divorce...

Comme ma mère a vraiment la fibre artistique trop développée, elle nous a concocté une hyper belle grille des tâches à effectuer, et on doit se mettre une étoile pour chaque corvée accomplie. BONNE IDÉE! Il me semble que le temps consacré à faire cette liste aurait été mieux investi s'il avait servi à vider le lave-vaisselle ou à épousseter, non?! Grrrrrr! Je déteste passer la balayeuse! Comment donc vais-je faire pour m'y soustraire? Je devrais proposer à ma mère de se payer les services d'une femme de ménage, quitte à ce que je la paie avec mon salaire de commis-libraire! Sauf que, si je fais ça, adieu le voyage de rêve à Disney: je n'aurai pas assez d'argent... Mon grand-père dit tout le temps qu'il «faut faire des sacrifices dans la vie». J'imagine que ça en fait partie...

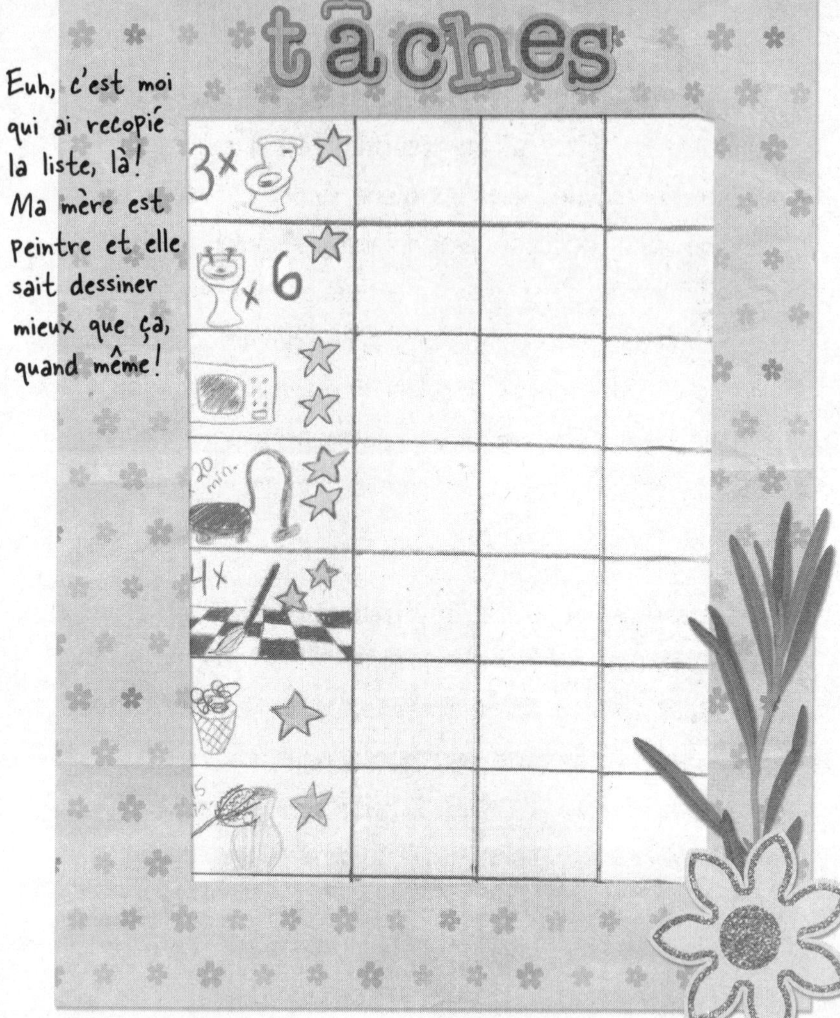

tâches
Euh, c'est moi qui ai recopié la liste, là! Ma mère est peintre et elle sait dessiner mieux que ça, quand même!
3x
x 6
20 min.
4x

Mais euh, on fait quoi s'il vient la même idée à mon père et s'il nous demande de faire du ménage à son appart????? Guillaume et moi allons nous transformer en véritables esclaves! C'est ça qu'ils veulent?! Pitié! (Note pour bibi: Fais attention de ne pas te plaindre du ménage devant ton père parce que ça pourrait vraiment lui donner de mauvaises idées...

Bonne fête, frérot!

Tout est dans le titre: mon petit frère a maintenant douze ans! Il commencera le secondaire à l'automne.

Wow... Mon frère à mon école...
Ça sent franchement la catastrophe! M'enfin, on verra bien... S'il est vraiment en train de «maturer», peut-être que ça ne sera pas si pire, dans le fond...

Ses goûts ne changent pas pour autant, à ce que je peux voir... Voici ce qu'il a demandé pour sa fête...

Maman et papa ont chacun organisé une petite fête pour souligner l'anniversaire de mon frangin. C'est l'avantage le plus connu du divorce: on a droit à DEUX fêtes, DEUX gâteaux, et Guillaume a reçu DEUX fois plus de cadeaux (c'est-à-dire une double ration de «jeux vidéo violents»). Seul hic: on a aussi eu droit à deux fois plus de pitié de la part des membres de notre famille. Je jure que, rendue à la fin du second *party*, je n'avais qu'une envie, et c'était de crier haut et fort: «Eille! Y'a personne de mourant! Enlevez vos faces longues, arrêtez vos petites tapes de condoléances sur mon épaule et changez de sujet! Bande de smrfgl**?%$!» Aaaah! Ça fait du bien de laisser sortir le méchant ici!

En tout cas... Tout ça pour dire que j'ai dû déployer des efforts surhumains pour faire preuve de tact! Je mériterais une médaille, sérieux! Je n'espère désormais qu'une chose: qu'à Noël, les choses se seront tassées un peu. Je crois que c'est la première fois de ma vie que je redoute les Fêtes de fin d'année...

Wow! Y'a vraiment des jours où l'Univers fait n'importe quoi, mais y'a aussi des jours où il fait des bons coups (sans doute pour se faire pardonner)! Et aujourd'hui, j'ai été témoin d'un miracle!

Rrrrrrroulement de tambourrrrrrr....

À notre retour de la relâche, on nous a annoncé que madame Péloquin était partie en congé de maladie. Un *burnout*, c'est ce qu'ils nous ont laissé entendre. On se retrouve donc avec un nouveau prof sur les bras jusqu'en juin. Il s'appelle Dominic Rivard. C'est facile de deviner qu'il sort tout droit de l'université et qu'il n'a jamais vraiment eu à *dealer* avec une classe de secondaire avant. Il me fait un peu pitié. J'aimerais bien l'aider à calmer le groupe quand il en perd le contrôle, mais je ne me sens pas encore assez confiante pour dire à mes «camarades» de classe de se taire... Alors Dominic se débrouille par lui-même, et ce n'est pas toujours gracieux. Tant pis...

91 %
Bravo, tu emploies un voc. riche et varié!

Résumé de lecture : *5150, rue des Ormes*, de Patrick Senécal
Par Justine Perron

Yannick Bérubé, un étudiant en littérature, visite la ville de Montcharles en vélo lorsqu'il croise un chat noir, et sa balade finit en vol plané.

Il décide d'aller frapper à (la porte d') une maison afin d'appeler un taxi qui pourra le ramener à son appartement. Il (Yannick) se rend compte assez rapidement qu'il se passe des choses étranges dans cette demeure – il entend notamment un homme gémir. Quand il essaie d'en savoir davantage, Jacques Beaulieu, le propriétaire, l'attaque.

Yannick se retrouve alors séquestré, chez une famille pour le moins étrange. Jacques, le père, féru d'échecs, est un psychopathe qui se prend pour un justicier. Ce dernier vit avec sa femme Maude – une femme hyper croyante qui pense que Dieu et son mari sont les deux seules personnes à qui elle doit obéir et écouter. Leurs deux filles ne sont guère plus stables, Michelle semblant être une véritable prédatrice, et Anne, l'ombre d'une zombie.

Au moins, mes notes vont recommencer à grimper!...

*

Érik, quant à lui... il est reparti à Montréal samedi dernier. Quand je suis arrivée au boulot, un paquet de sa part m'attendait dans l'arrière-boutique. Une sorte de cadeau de départ, je crois, qui m'a fait autant de bien que de mal.

Je l'ai déballé et j'ai découvert... une édition de luxe (anglaise) d'un recueil de tous les poèmes et histoires d'Edgar Allan Poe! Une petite note accompagnait le bouquin:

Justine,
Ce fut vraiment agréable de travailler avec toi. Tu es une fille étonnante et j'aurais aimé avoir davantage de temps pour apprendre à te connaître mieux...
J'ai pensé que tu apprécierais cette collection de textes qui m'a vraiment marqué.
(J'en ai une édition plus récente, ne t'inquiète pas ; tu ne me prives pas de la beauté sombre des textes de Poe !)
On se reverra peut-être un jour.
Du moins, je l'espère sincèrement...
Ton collègue et ami,

Érik xx

J'aurais fondu en larmes, mais je me suis retenue parce que, sinon, j'aurais dû expliquer à monsieur Dumas pourquoi je pleurais, et comme je n'arrivais pas à penser à une excuse, j'ai préféré garder ma peine pour moi.

Quand je suis revenue chez moi, je me sentais drainée. Ana est venue à la maison et elle m'a aidée à analyser le contenu du petit mot, en s'attardant à chaque point de suspension comme si je devais y lire des messages secrets.

Xx = becs ?

Un défi lancé pour une bonne vieille partie de tic-tac-toe ?

X	O	X
♡	X	♡
O	X	O

Elle est fine de vouloir me bercer ainsi d'illusions (car elle croit fermement qu'Érik me trouvait de son goût), mais ses remarques ont plutôt eu l'effet contraire et m'ont rendue encore plus triste et découragée.

Quand elle est partie, je me suis roulée en boule dans mon lit et j'ai dévoré le livre qu'Érik m'avait laissé. J'avais l'impression de me sentir plus près de lui, comme si c'était lui qui m'en faisait la lecture. Je peux bien avouer (puisqu'il s'agit toujours d'un espace sécuritaire) que j'en ai braillé un coup...

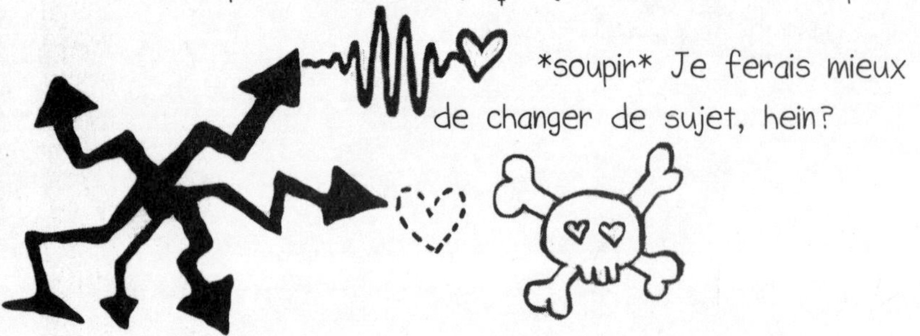

soupir Je ferais mieux de changer de sujet, hein?

Oh! Bonne nouvelle: j'ai réussi à convaincre Mélo qu'elle pourrait faire carrière en chant. Bon, il m'a fallu sortir plein d'arguments, car elle n'arrêtait pas de dire des trucs genre: «Pourquoi le monde viendrait m'écouter chanter?» et «Je suis bien trop gênée pour monter sur une scène. Je vais mourir de trac!», etc. Mais, au final, j'ai fini par gagner mon point. Elle a accepté de commencer à se produire pour Ana et moi, question de se dégourdir un peu. J'ai promis de l'accompagner à la flûte, comme ça elle aura un peu de soutien moral devant son «public».

DREAM-LAND

By a route obscure and lonely,
Haunted by ill angels only,
Where an Eidolon, named NIGHT,
On a black throne reigns upright,
I have reached these lands but newly
From an ultimate dim Thule—
From a wild weird clime that lieth, sublime,
Out of SPACE—out of TIME.

Bottomless vales and boundless floods,
And chasms, and caves, and Titan woods
With forms that no man can discover
For the tears that drip all over;
Mountains toppling evermore
Into seas without a shore;
Seas that restlessly aspire,
Surging, unto skies of fire;
Lakes that endlessly outspread
Their lone waters—lone and dead,—
Their still waters—still and chilly
With the snows of the lolling lily.

By the lakes that thus outspread
Their lone waters, lone and dead,—
Their sad waters, sad and chilly
With the snows of the lolling lily,—
By the mountains—near the river
Murmuring lowly, murmuring ever,
By the grey woods,—by the swa
the toad and the newt
l tarns and

 Mon poème préféré dans le recueil de Poe...

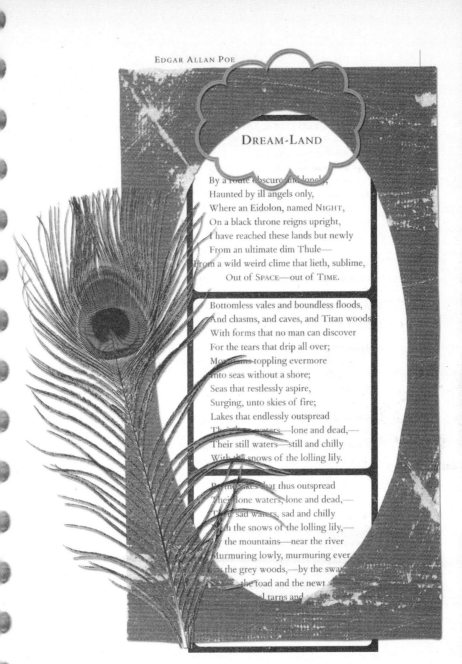

Dans la section «Autres nouvelles de la vie de Justine Perron»: Ana et moi, c'est toujours la (presque) parfaite entente. On est toujours aussi sœurs. Et mon compte de banque se remplit gaiement pour le voyage à Disney! Plus que 121 dodos... (j'aime compter en «dodos» plutôt qu'en jours, je ne sais pas pourquoi. Peut-être parce que ça vient de mon enfance, quand je comptais le nombre de dodos qui me séparaient de Noël, de ma fête, etc. À la fin de ce décompte, la destination finale semblait toujours si magique. Peut-être que le fait de compter en «dodos» confère une bonne part de magie à tout ça... Wow! +10 pour l'analyse de soi, Justine!)

...ET HOP! UN DODO DE PLUS!

À part ça, c'est la petite routine. Guillaume et moi faisons des sorties tous les week-ends avec papa et sa blonde (ma mère était au courant depuis le début de la présence de Kathy dans la vie de mon père, mais elle ne nous en avait pas parlé, car elle ne voulait pas lui couper l'herbe sous le pied. Voyons, les adultes, parlez-vous! Parlez-nous! Pendant ce temps, nous, on marche sur des œufs, là!) Ça fait drôle de voir papa et Kathy ensemble...

Elle a, genre, dix ans de moins que lui! Mais ils ont l'air heureux, alors je trouve inutile de dire quoi que ce soit de désagréable sur le sujet.

Personne ne fête la Saint-Patrick à Saint-Creux.

La fin de semaine passée, papa nous a demandé si ça nous dérangerait qu'il emménage chez Kathy au mois de juillet (elle demeure aussi à Saint-Moins-Creux). J'ai bien essayé de garder mes réflexions pour moi, mais je les sentais remonter à la surface en gueulant... jusqu'à ce que mon père nous dise que nous aurions chacun notre chambre chez Kathy. Et hop! d'un seul coup, mes réflexions se sont tues. Justine venait d'être achetée. J'ai vendu mes convictions pour une chambre personnelle! (Hoooo, vilaine Justine!)

Dommage! J'adore les légendes irlandaises!

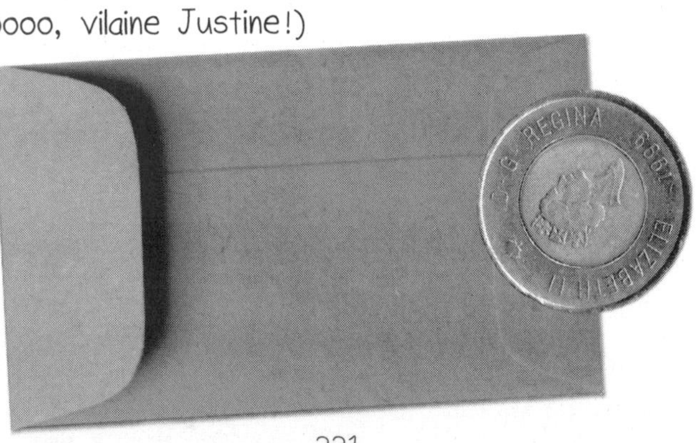

Y'a de la corruption partout!

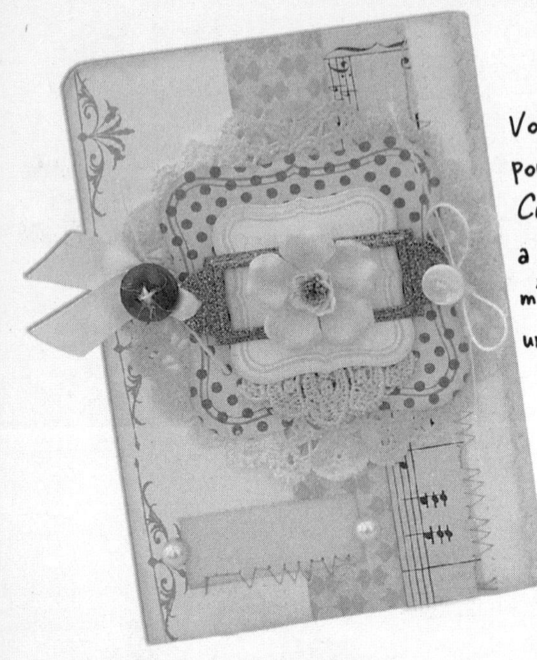

Voici un test de carte pour la fête des Mères. Cute, non? Quand Ana a vu ma création, elle m'a demandé d'en faire une pour sa mère aussi!

Quelque chose me dit que je devrais avoir honte mais, puisque je n'arrive plus à trouver une parcelle de moi s'objectant à la nouvelle situation, je dois en conclure que je suis OK avec tout ça, non? Comme dirait Spock: «C'est logique.»

Bref, tout va bien, somme toute...

Monsieur Dumas, cet homme ÉTRANGE

J'ai récemment fait lire à mon patron un de mes textes publiés dans le journal étudiant. Pendant qu'il lisait, je faisais semblant de travailler pour ne pas le déranger, mais je l'étudiais du coin de l'œil. Et j'ai pu voir son visage s'illuminer à mesure qu'il avançait dans sa lecture. À la fin, quand il m'a remis le journal (que je lui ai enjoint à conserver), son regard scintillait, et il semblait plutôt fier de moi...

— Tu as vraiment du talent, s'est-il exclamé. Je t'encourage fortement à poursuivre dans cette voie; tu as la trempe d'une grande écrivaine!

— Merci, ai-je répliqué, toute gênée. Je suis chanceuse d'avoir reçu le soutien et les conseils de ma prof de français, mais elle est en congé de maladie depuis les vacances de Noël.

— Ah, c'est dommage! Tu sais, j'ai toujours voulu écrire, moi aussi, mais évidemment je n'ai jamais reçu d'encouragements en ce sens. Mes parents auraient souhaité que je devienne prêtre et m'ont fait compléter mon cours classique, mais je n'ai pas pu me résigner à porter la soutane... Maintenant que je vois le genre de vie solitaire que je mène, je me dis que, finalement, ça n'aurait peut-être pas été aussi pire, a-t-il ironisé.

Monsieur Dumas, prêtre???!!!!

— Donc... vous n'avez jamais rien publié?

— Eh non, à mon grand regret! J'espère que tu auras plus de courage et de discipline que moi. C'est bien beau d'avoir des idées et de rêvasser, mais pour être auteur il faut s'asseoir et écrire avec assiduité, sans se laisser distraire. Aujourd'hui, les jeunes ont tant de sources de distraction... As-tu même un bureau pour travailler?

— Euh, non... pas vraiment, ai-je précisé. Chez mon père, je partage ma chambre avec mon frère, puis chez ma mère, je dois utiliser l'ordinateur du salon pour écrire. Pas évident, donc... C'est gênant d'écrire devant des témoins!

— Hmmm, je comprends. Un ordinateur dans une chambre d'ado, c'est pas très sécurisant pour les parents... Il y a plein de cyberprédateurs, à ce qu'il paraît... Je vois ça, des fois, dans le journal... Mais attends! s'est-il exclamé soudainement, coupant court à son propre discours.

Et il s'est précipité dans l'arrière-boutique sans m'expliquer l'idée de génie qui semblait l'avoir frappé.

Quand je suis entrée à mon tour dans la pièce, monsieur Dumas était en train de déplacer la table des employés. Je l'ai grondé:

— Qu'est-ce que vous faites? Vous tenez tant que ça à faire un autre infarctus?!

— Allons, ce n'est pas si lourd, a-t-il plaidé. Et puis, comment crois-tu que je me débrouille la semaine, dans la librairie, avec les arrivages et tous les retours à préparer?

— Vous n'êtes pas censé vous débrouiller du tout! l'ai-je réprimandé. Vous devez attendre que je vienne la fin de semaine déplacer les boîtes et ranger les livres dans les sections, un point c'est tout!

J'étais vaguement en colère. Après tout, je ne voulais pas perdre cet homme que je considérais comme un oncle. Je l'ai gentiment poussé sur le côté et j'ai pris en charge la table.

— Vous voulez que je la mette où? ai-je demandé.

— Au centre de la pièce, a-t-il capitulé.

— On va bloquer les arrivages!

— Maintenant, les livres arriveront là où il y aura de la place.

J'ai haussé les épaules et j'ai disposé la table au centre de la petite pièce. Monsieur Dumas s'est mis en mode nettoyage et redressement de l'endroit. Puis il a déposé un cahier vierge sur la table, devant une des chaises, et a placé un crayon à côté.

— Bon, a-t-il laissé tomber dans un soupir, là ç'a l'air de rien, mais imagine une belle lampe de bureau. Et deux autres chaises. Et... et un sofa dans le coin ici! Tu pourrais aussi faire un peu de déco, qu'est-ce que t'en penses?

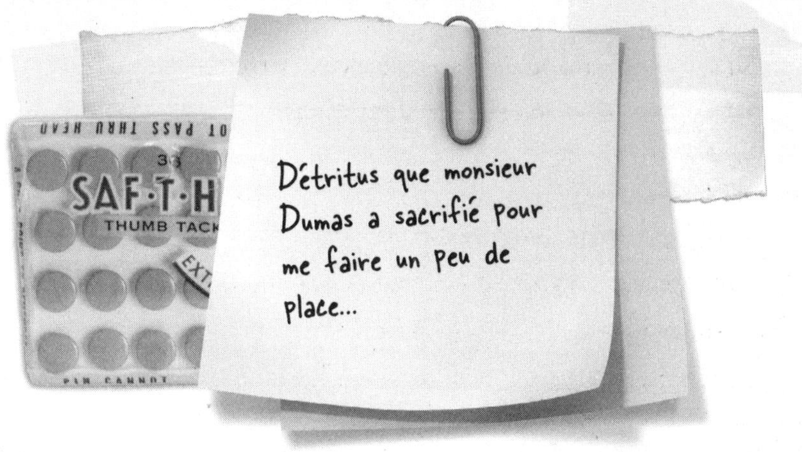

Détritus que monsieur Dumas a sacrifié pour me faire un peu de place...

— Qu'est-ce que je pense de quoi?

— De ton nouveau bureau!

— Hein?!

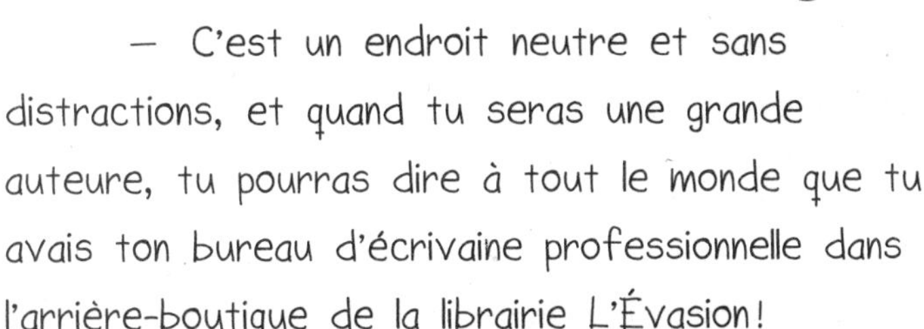

— C'est un endroit neutre et sans distractions, et quand tu seras une grande auteure, tu pourras dire à tout le monde que tu avais ton bureau d'écrivaine professionnelle dans l'arrière-boutique de la librairie L'Évasion!

Il était tellement drôle, tellement beau à voir que je n'ai pu m'empêcher d'émettre un petit rire. On aurait dit un gamin de six ans, tout excité par sa propre idée.

Voyant que je ne répondais pas, monsieur Dumas a enchaîné:

— Et puis... Et puis, tu... tu pourrais prendre tous les livres de référence que tu veux dans la boutique et les apporter ici pour tes recherches! Tu n'aurais même pas besoin de les acheter - à condition qu'ils demeurent en bon état, bien sûr.

— Monsieur Dumas... ai-je tenté de le calmer.

— Oh! Ça te prendrait un ordinateur, bien entendu. T'as un *laptop*?

J'ai secoué la tête en signe de négation.

— Pas grave! Il serait grand temps que la librairie se modernise et se munisse d'un ordinateur portable. Tout se fait par Internet, de nos jours, pas vrai? Je pourrais l'avoir, Internet! Ou le... machin-truc, là, le sci-fi.

— Le WiFi, l'ai-je corrigé en rigolant.

— C'est ça, nous aurons le WiFi!

— Monsieur Dumas, l'ai-je arrêté, l'idée est excellente, mais...

Et j'ai stoppé à mon tour; l'idée en question avait déjà fait son chemin dans mon esprit.

Il est vrai qu'écrire à la maison n'était pas aisé; il y avait toujours quelqu'un ou quelque chose pour me déranger (téléphone, frère et jeux bruyants, mère, père, télé, etc. Sans compter que je ne suis pas une personne très assidue, il ne faut pas se le cacher...) En plus, j'ai toujours adoré cette ambiance magique qui règne à L'Évasion (comme le salon de lecture d'un magicien. Je l'ai déjà dit, non?) Cette atmosphère m'inspirait, c'était indéniable.

J'ai étudié l'arrière-boutique. Il suffirait de pas grand-chose pour la rendre confortable... Une plante ou deux, de la déco...

Mon regard a alors croisé celui rempli d'étoiles et d'espoir de monsieur Dumas. Je crois que, même si l'idée ne m'avait pas déjà enchantée, je n'aurais pas su dire non devant l'expression sur le visage de mon patron.

— C'est d'accord! Merci, vous êtes vraiment LE meilleur patron!

Je n'ai pas pu résister, et je l'ai remercié avec un gros câlin.

Comme ce *scrapbook* est déjà pas mal plein, il s'agira sûrement de mon dernier billet dans celui-ci, et je tenais à faire un petit résumé de ma vie actuelle. Un bilan, si on veut...

Jamais je n'aurai autant appliqué la fameuse maxime que je citais au début: «Quand la vie te donne des citrons, fais-en de la limonade». En effet, quand la vie nous envoie des coups durs, il faut les transformer en quelque chose de positif!

Sérieux, j'ai l'impression d'être sur un grand terrain de baseball. Je suis au bâton alors que l'Univers est le ~~pitcher~~ lanceur, et chacune des balles (embûches) qu'il m'envoie, je la frappe fort et loin, hors du terrain.

EXPOS
GARY CARTER

Homerun, Justine Perron!

Yeah!!!

Une autre chose piquée dans les affaires que mon père a oubliées à la maison...

C'est vrai: on dirait que, pour chaque obstacle qui se présente sur ma route, j'arrive non seulement à le surmonter, mais à en tirer le meilleur!

Par exemple: le divorce. Les choses se placent tranquillement et la routine s'est installée. Au début, j'étais trop contre, et ça me faisait bouillir de rage, mais maintenant je m'en accommode et j'arrive même à trouver des points positifs (on voit mon père plus souvent, on a deux résidences, on obtient davantage de cadeaux, Kathy et mon père organisent toutes sortes de sorties *cool* à faire avec nous, etc.)

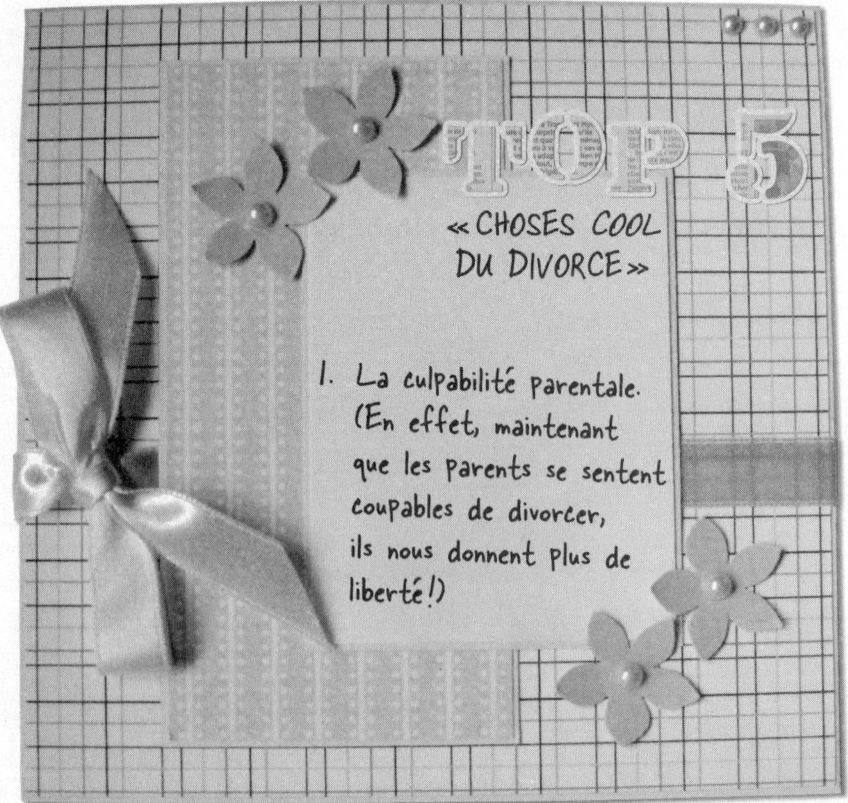

TOP 5
«CHOSES COOL
DU DIVORCE»
1. La culpabilité parentale.
(En effet, maintenant
que les parents se sentent
coupables de divorcer,
ils nous donnent plus de
liberté!)

2.

Deux fois tout! (Les adultes disent que le divorce, c'est tout diviser en deux... Pour leurs enfants, par contre, presque tout est multiplié par deux : maison, chambre, cadeaux, chances d'avoir un chien...

Et avec les familles reconstituées, c'est comme si on avait le double de famille aussi!)

3. Les parents se parlent moins souvent. (Ça peut avoir l'air d'un point négatif mais, si on sait bien l'utiliser, c'est du positif! Par exemple, si on fait une bêtise chez papa, maman ne sera pas forcément au courant!)

4.

La deuxième chance. (Si un parent dit non, on peut s'essayer à demander à l'autre, et comme ils se parlent moins souvent qu'avant, il y a des chances que la deuxième fois, ça marche!)

5.

Le moment présent.

(En tant qu'enfant de divorcés, j'ai appris que tout pouvait changer à n'importe quel moment et, par conséquent, j'essaie de vivre davantage le moment présent pendant qu'il passe.)

Cet été, j'aurai une nouvelle chambre à mon goût. Kathy et moi sommes allées magasiner, et on a déjà tout choisi. Les murs de ma deuxième chambre seront gris anthracite (drôle de mot...) avec de jolis décalques blancs, style « silhouettes de fleurs dont les pétales s'envolent au vent ».

Et papa m'a même permis d'acheter un décalque de six pieds de haut qui représente la silhouette blanche (pour aller avec les autres décalques) d'un magnolia (mon arbre préféré) en fleur! Trop beau! Mon nouveau set de chambre sera noir et fera un contraste vraiment chic avec la peinture et les décalques. Pour aller avec mon édredon Victoria Francès dans les teintes de mauve, j'ai ajouté des coussins, des fleurs artificielles et d'autres éléments de décoration dans ces mêmes couleurs. Vraiment, le *scrapbooking* m'a permis d'exercer mon œil d'artiste et de laisser aller ma créativité, sans retenue! Ma chambre sera super belle, j'ai trop hâte! ☺ BANG! Double coup de circuit!

Et madame Péloquin, ma prof en mode «vendetta contre Justine Perron»? Je n'en ai fait qu'une bouchée! J'ai conservé mon poste au journal, et mon feuilleton a reçu encore plus d'appuis du fait qu'on avait cherché à le faire cesser. De plus, les anciens numéros du journal sont désormais disponibles en ligne et quelques lecteurs me laissent même ~~leur *feedback*~~ leurs impressions dans la section «Commentaires»! BANG! Un autre circuit!

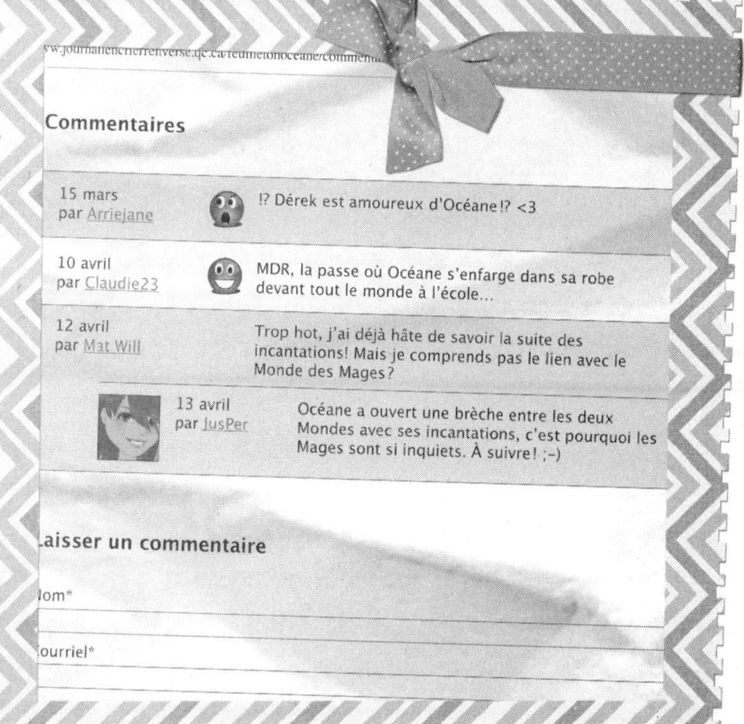

vw.journallencrierrenverse.qc.ca/feuilletonoceane/commenta

Commentaires

15 mars
par Arriejane
!? Dérek est amoureux d'Océane!? <3

10 avril
par Claudie23
MDR, la passe où Océane s'enfarge dans sa robe devant tout le monde à l'école...

12 avril
par Mat Will
Trop hot, j'ai déjà hâte de savoir la suite des incantations! Mais je comprends pas le lien avec le Monde des Mages?

13 avril
par JusPer
Océane a ouvert une brèche entre les deux Mondes avec ses incantations, c'est pourquoi les Mages sont si inquiets. À suivre! ;-)

Laisser un commentaire

Nom*

Courriel*

Enfin, moi qui voulais tant connaître l'opinion des gens une fois mon texte publié, me voilà servie! Vive Internet! Ana m'a même suggéré d'ouvrir ma propre page Facebook d'auteure, comme ça je pourrais échanger avec mes lecteurs. Tellement intuitive, ma *best*...

Seul petit nuage à l'horizon pour *L'Encrier renversé:* Émilie, la rédactrice en chef du journal, terminera son secondaire en juin. C'est sûr que je suis triste qu'elle s'en aille, mais elle pourra étudier le journalisme au cégep (chanceuse!), comme elle le souhaite. En attendant, on a dû tenir un vote pour trouver son remplaçant. J'ai opté pour Didier, mais c'est Judith qui a eu le poste finalement. C'est peut-être mieux ainsi, car Didier nous quittera à son tour l'an prochain... Au moins, Judith restera au journal pour les deux prochaines années. Elle devrait partir en même temps que moi.

Justine

Justine

Hein? Deux personnes avaient voté pour moi? Ben coudonc!

Mes ennuis à l'école? J'ai réussi à passer au travers la tête haute et je me suis même fait une nouvelle amie au passage, une amie à qui j'essaie de prêter main-forte pour qu'elle sorte de sa coquille et s'affranchisse des chaînes de l'intimidation. (Sans compter qu'elle deviendra une chanteuse *full* célèbre! Je pourrais peut-être lui écrire des paroles...) BANG! «Bonsoir, elle est partie!» (J'entendais souvent mon père crier ça, tout content, quand il regardait une partie de baseball et qu'il y avait un coup de circuit.)

Mélodie a donc officiellement et définitivement rejoint nos rangs et elle passe tous ses temps libres chez Ana ou chez moi. On a monté de petits spectacles amateurs (et sans public, pfff!) à quelques reprises dans mon sous-sol, et Ana affirme qu'elle pourrait écouter Mélo chanter pendant des heures. C'est vrai! Sa voix est magnifique, et je ne dis pas ça parce que c'est mon amie! Une parcelle de jalousie s'est d'ailleurs éveillée en moi en l'entendant chanter: j'aimerais tant avoir ce talent! Enfin...

Il paraît aussi que sa prof de chant la pousse à participer à des concours, mais Mélo dit qu'elle n'est pas prête, et je la comprends; ça doit être vraiment épeurant de chanter sur une scène devant plein de gens!

Côté loisirs: Les parents de ma *best* m'emmènent à Disney World dans 107 dodos! YOUPI!!!!

Je consacre toujours quelques heures de mon temps à L'Évasion chaque week-end, en plus des heures où je «travaille» à mon bureau (bien entendu, monsieur Dumas ne me rémunère pas quand j'écris). C'est chouette de la part de mon gentil patron de jouer les mécènes (ce sont des personnes qui encouragent les lettres, les arts, les sciences, etc. Je ne connaissais pas ce mot-là; c'est monsieur Dumas qui l'a utilisé, et je l'ai recherché avant de le lui emprunter!)

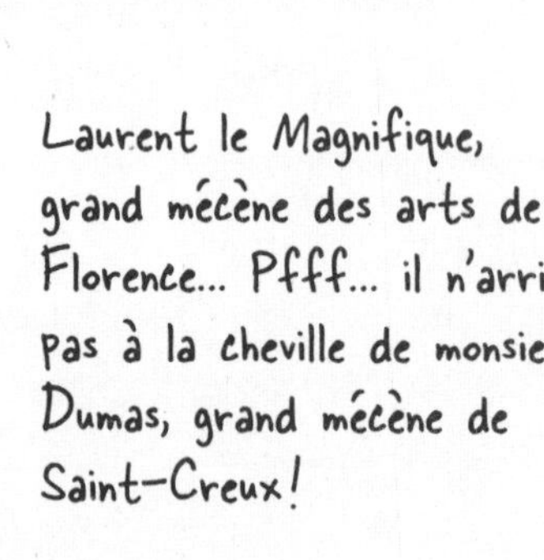

Laurent le Magnifique, grand mécène des arts de Florence... Pfff... il n'arrive pas à la cheville de monsieur Dumas, grand mécène de Saint-Creux!

Mélo s'est elle aussi mise au *scrapbooking*, et on passe parfois nos dimanches après-midi à découper et à coller des trucs ensemble. C'est vraiment inspirant d'avoir une collègue!

Carte « scrapbookée » par Mélo.

Elle est quand même pas si pire pour une débutante, non?

Côté cœur, j'ai eu la surprise la semaine dernière de recevoir une nouvelle demande d'amitié sur Facebook. Mon cœur a raté au moins trois battements en reconnaissant le nom d'Érik Dumas et sa photo de profil (en vacances dans le Sud, trop beau…) Il avait marqué un petit mot *cute*: « Hé, Jus! Je suis entré dans une librairie la semaine passée pour m'acheter un guide de voyage, et j'ai pensé à toi. Gilbert ne te fait pas trop la vie dure?;-) Si tu passes par Montréal, fais-moi signe, Érik.» Aaaaaaahhh! Mon Dieu! Je ne savais pas si je devais me mettre à brailler ou à danser de joie. Il pensait à moi! C'était *too much*! Moi aussi, je pensais à lui... Encore...

Je n'ai même pas hésité une demi-seconde avant d'accepter sa demande tellement j'avais hâte de faire le tour de sa page. Je me demande s'il ira lui aussi surfer sur mon profil pour regarder des photos de moi? Juste au cas, j'ai fait le ménage et j'ai effacé plein de commentaires pas rapport de mon mur. Pour ne pas paraître trop indépendante (et pas trop collante non plus), je lui ai écrit un petit message simple:

«Merci de m'avoir ajoutée à tes contacts, ça fait toujours plaisir d'avoir de tes nouvelles!» Je n'ai pas abusé de la ponctuation, car j'ai compris (après l'épisode des points de suspension dans son petit mot) que ça peut vraiment prêter à confusion lorsqu'on essaie de les interpréter. Mais, entre nous, j'avais vraiment envie d'insérer plein de points d'exclamation à mon message!!!!!!

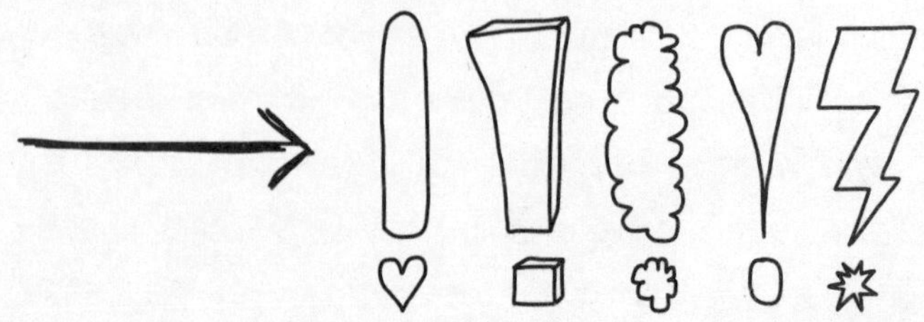

J'ai hâte de voir s'il me répondra...

Alors voilà, Univers! Sache que tu as trouvé, en Justine Perron, une adversaire de taille qui te tiendra tête jusqu'au bout!

Euh... c'est pas un défi, là... OK, Univers?

DÉFAITES

~ Un autre gros bouton qui apparaît sur mon menton −3

~ Des parents qui divorcent −10

~ Des sentiments amoureux qui ne vont nulle part −20

C'est tout!

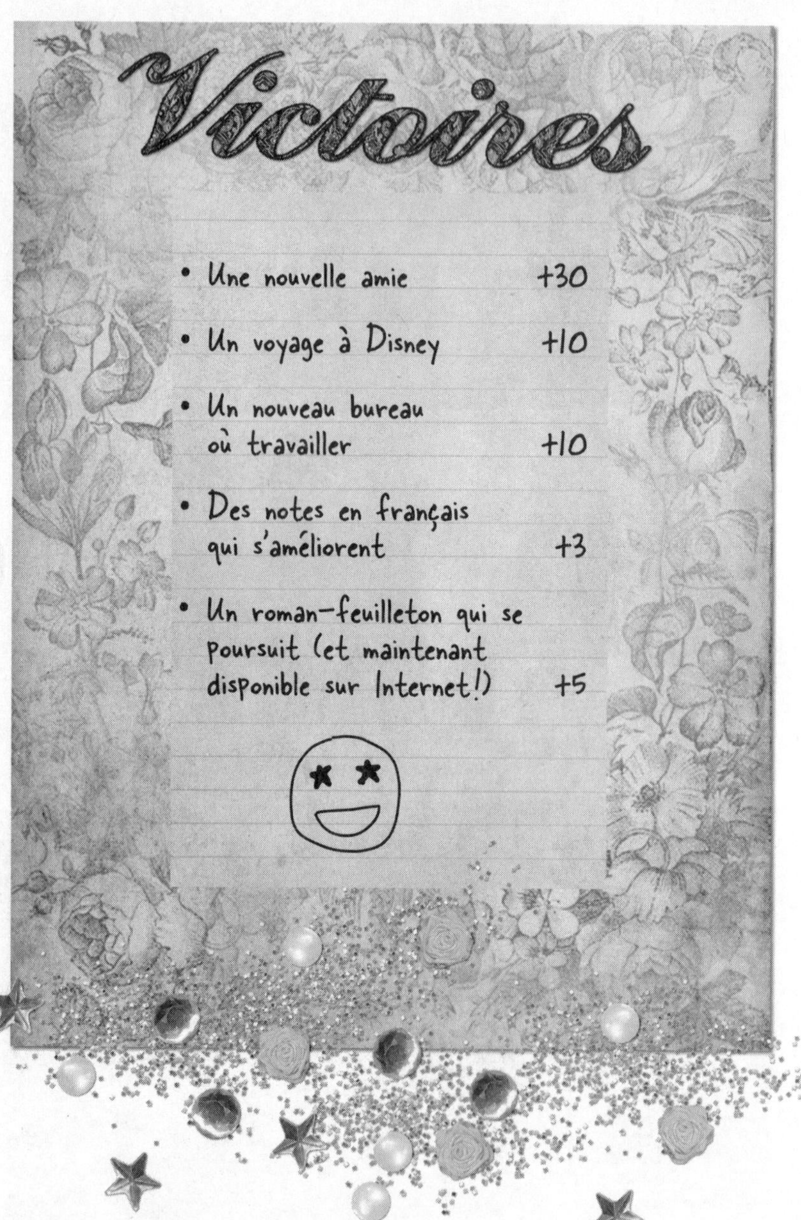
Victoires
• Une nouvelle amie +30
• Un voyage à Disney +10
• Un nouveau bureau
où travailler +10
• Des notes en français
qui s'améliorent +3
• Un roman-feuilleton qui se
poursuit (et maintenant
disponible sur Internet!) +5

(Ça finit bien un *scrapbook*, ça, non?)